感じがいい、信頼できる
大人の「ちょうどいい」話し方

松尾紀子
元フジテレビアナウンサー

ダイヤモンド社

この本は、

いつも周りを気遣うことのできる

人一倍優しいあなたのためにできました。

たとえば100人を前にして、
素晴らしい話で感動を与えることのできる人もいます。

「あの人はすごい」とみんなから絶賛される。
人前でハキハキと輝くように話せる。
それはもちろん、素晴らしい力ですよね。

でも、私はこのように考えています。
「身近にいる家族や友人、一緒に仕事をする人のような、
自分の身の回りの人を幸せにできる人だって、とっても素晴らしい」

特別な日に、特別な評価をされるよりも、
むしろ、自分に訪れる日常を、彩り豊かにしてくれる、
身の周りの人を、今よりもっと大切にできる人になりたい。

そうして、たくさんの人が、幸せになっていく。

それも、とっても素敵だと思いませんか?

「ちょうどいい話し方」を意識すると、
あなたは今日から、そんな素敵な人に一歩近づきます。

「ちょうどいい話し方」は、自分と相手が調和する話し方。
お互いが心地よく過ごせるちょうどいい距離感を保てる。
人に合わせすぎなくても、等身大の自分らしくいられる。
そんな、誰もが過ごしやすくなる、互いを大切にできる話し方です。

目の前の人がどんなことを望んでいるのか。
それらを瞬時に感じ取って、言語化して、相手に伝えられる。
そして、自分が何を感じ、考え、どうしたいのかも、自分らしく表現できるのです。

ちょうどいい話し方を身につけたあなたは、周りの人から、
このような言葉をかけてもらえる人に変わっていきます。

「今日は本当にありがとう！」

「一緒にいると、ついついしゃべりたくなっちゃう」

「なんか、いつもよりたくさん話しちゃった」

「あなたといると、すごく自分らしくいられるんだ」

「あなたの考え方、とっても好き！」

「自分らしくて、いいよね」

「いつも肩の力が抜けてるよね！」

「リラックスしてて、私も楽なんだ」

「また会えて本当に嬉しい！」

「一緒にいると、とっても落ち着くんだ」

「いつも、ありがとう」

ちょうどいい話し方は、こんな特徴があります。

・相手を嫌な気持ちにせず、自然に寄り添って、喜んでもらえる
・しかも、自分らしくリラックスして、晴れやかな気持ちで過ごせる
・さらに自分と相手が、両方、ちょうどいい距離感で調和できる

この本は、そんな、相手も自分も幸せになる話し方を紹介する本です。

「ちょっと、興味あるかも」と思ったら、
ぜひ、次のページをめくってみてください。

はじめに

「自分の思いを、もっとうまく伝えられたらいいのに」
「人前で緊張せずに話せたら、どんなにいいだろう」
「どうして人とのコミュニケーションって、こんなにむずかしいのだろう」

毎日誰かと会話し、言葉で自分を表現しながら生きている私たちですが、「話すこと」の悩みはなかなか尽きませんよね。

でも、安心してください。
この本は、そんなあなたのために生まれました。

この本のタイトルにもある「ちょうどいい」話し方とは、**自分と相手が調和する話し方**。適度な距離感で、相手も自分も大切にできるコミュニケーションのことです。

あなたはいつも人と話すときに、つい、相手に合わせてしまっていませんか？

もしそうであれば、そんなあなたはきっと、周りを気遣うことのできる優しさの持ち主に違いありません。いつも一生懸命で、周囲のことをよく考えられる魅力の持ち主でもありますね。


でも、人とのコミュニケーションは、ときに意見の対立や感情の行き違いがあるもの。相手にがんばって合わせて、傷つけないよう気をつけていても、うまくいかないこともあるでしょう。


それに、いつも相手に合わせてばかりいると、つい自分のことをないがしろにしてしまいがちです。

「相手といるからしょうがない」

「自分のことは後回しでいい」

「誰かに迷惑をかけないようにしないと……」

そのように考えて、家に帰った途端、どっと疲れてしまうという人もいるのではないでしょうか。

自分自身の経験を通して、また、たくさんの方の指導を通してつくづく感じることがあります。

それは、「**周りと調和している人は、周りを大切にするのと同じくらい、自分も大切にしている**」ということ。

引っ込み思案でも、自分に自信がなくても大丈夫。

むしろ、自分を表現することやコミュニケーションに苦手意識がある人ほど、のびしろがあります。

コミュニケーションは、誰でも、いつからでも磨くことができます。

ほとんどの人が、声や言葉について習ったことがありません。でも逆に、コツさえ知れば、もともと持っている声と言葉を磨いて、自由に自分を表現し、仕事やプライベートをよりよいものにできるのです。

日頃の話し方が変われば、人に信頼され、人間関係や出会いが変わり、今よりずーっと生きやすくなります。

コミュニケーションは、誰でも持っている魔法の道具なのです。

●学芸会でセリフが言えなかった私が、アナウンサーに

はじめまして。元フジテレビアナウンサーの松尾紀子です。

私をテレビで見てくださっていた方も、そうでない方もいるかもしれませんね。

私はアナウンサーという仕事についていながら、自分を表現することにずっと苦手意識がありました。


体が弱かったこともあり、幼少期から小学生までは、極度に緊張して、話せず泣いてばかりでした。小学校の学芸会ではセリフのある役につけなかったくらいです。

それでも就職の時、「広い世界を自分の目で見たい」という強い思いでマスコミを志

望。当時のテレビ局は、女性はアナウンサー職しか募集がなかったので、アナウンサーに応募しました。

しかし、フジテレビに入社した後も緊張体質は変わらず、カメラの前で話すことにとても苦労しました。

そんな、叱られる日々が続き、毎日試行錯誤を繰り返しながら、32年。

ありがたいことに、女性初のアナウンス室部長、専任局次長を経験し、退社した後も、大学でコミュニケーションを教えたり、企業や自治体、学校などで「話し方」の指導をしたりする機会をいただくことができています。

子ども時代の私を知る人が今の私を見たら、「これは奇跡だ」と思うはずです。

●「ちょうどいい話し方」は、自分も相手も大切にする話し方

今、私たちの社会は、かつての「上意下達」から、よりフラットな人間関係に変化しています。

上司と部下、先生と生徒、親と子、パートナーや友達など、さまざまな関係性があり

ますが、そのいずれにおいても、**身の回りの人を、年齢や立場に関係なくフラットに大切にする**ことは重要です。

だから、一方的に人を言い負かすのはもちろんのこと、逆に自分が我慢したりするのも、決してよくはありません。

「**お互いの考えを心地よく伝え合いながら調和する**」。それがコミュニケーションの本来あるべき姿です。

そうしたコミュニケーションを通じて、次第に、互いの心が開かれ、新しいアイデアが生まれる。そして最終的には、信頼関係を築くことができる。「ちょうどいい話し方」は、あらゆる関係性の質を向上させる、時代に合ったコミュニケーションなのです。

●「ちょうどいい話し方」は人生をよりよくする魔法の道具

この本では、私がこれまで学んできた話し方の工夫や声の磨き方などを、日常で使える形でお伝えしていきます。

自分の声や言葉に少し意識を向けるだけで、あなたの印象はガラリと変わります。

話し方・言葉・声……いずれも、込み入った知識は必要ありません。
むずかしい技術もいりません。**誰でも、今日から始められます。**

話し方が変わると、「心身ともに健康になる」「人間としての魅力が増す」「願いが叶う」「周囲の人にもよい影響を与えられる」など、人生全体が楽しく幸せなほうへと進んでいきます。

話し方、言葉、声は、今あなたが思っている以上に人生を左右するのです。

そうであれば、話し方を、言葉を、声を磨かないのは、とてももったいない！　そう思いませんか？

話し方を変えるのは、髪型や服装に気を使って、自分の身だしなみを整えるのと一緒。**話し方も整えれば、パッと素敵に変身することができる**のです。

会話やコミュニケーションに苦手意識を持って本書を手にとったあなたには、たくさんのポテンシャルが秘められています。「もっと、話し方を磨きたい」という気持ちさえあれば大丈夫。**あとは、抑えているその気持ちを解放するだけ**です。

本書では、ちょうどいいコミュニケーションの基本やコツを紹介します。具体的には、周りの人とうまく「調和」するために必要な考え方やテクニック、さらにはうまく自分の気持ちを相手に伝えるための方法などを紹介します。他にも、自分の魅力が最大限に伝わるようになる「いい声」を手に入れるコツも満載です。

ぜひ、どのページからでもいいので気になった項目を実践してみてください。

今日から、あなたの言葉が、声が、そして毎日が変わりはじめます！

目次

第1章 ちょうどいい会話の7つの基本

第2章
ちょうどいい会話のコツ

第3章 人前でちょうどよく話すコツ

第4章 ちょうどいい話し方は「声」でさらによくなる

第1章

ちょうどいい会話の7つの基本

ちょうどいい会話の基本1

大事なのはテクニックより感情のやり取り

コミュニケーションとは、そもそも何でしょうか？

むずかしい質問かもしれませんが、少し考えてみてください。

まずは会話術、話す内容など、目に見える部分に意識がいくかもしれません。

私はコミュニケーションとは、**「感情のやり取り」**だと考えています。気持ちのやり取りとも言えます。

私たちは言葉のやり取りを通して、お互いの考え方や感情を交流させ、その中から価値を生み出していきます。コミュニケーションのベースには相手との気持ちの交流があり、そこに言葉が乗っていくのです。

BEFORE
AFTER

気持ちのやり取りをスムーズにするために、会話のテクニックや話し方の技術ももちろん大切です。

しかし忘れてはいけないのが、相手と理解し合いたいという想い。

自分の心から相手の心に「架け橋」をかけるつもりで会話していく姿勢です。

● 自分も相手も大切にするのが「ちょうどいい」

「ちょうどいい話し方」とは、感情のやり取りができるコミュニケーションのことです。声や話し方に自信がなくても、経験が浅くても、緊張体質でも大丈夫。

「自分の思いを伝えたい」「相手を知りたい」という気持ちがあれば、調和の取れたコミュニケーション、価値あるコミュニケーションが生まれます。

私もこれまで、さまざまな失敗をして、試行錯誤を繰り返してきました。そんな過程で、「コミュニケーションがうまくいった！」と感じるときには、ある点が共通していることに気がつきました。

それは、コミュニケーションがうまくいくのは、**「自分の気持ち」**と**「相手の気持ち」**

の両方を大切にできたときだということ。

自分の主張だけを通そうとしたり、逆に、自分の気持ちを抑えて相手の考え方を尊重しすぎたりすると、コミュニケーションはギクシャクしたものになります。

しかし相手への想像力を働かせ、自分の気持ちも大事にしながら言葉や気持ちをやり取りしていけば、**バランスの取れた着地点**が見つかります。

このとき、自分と相手がうまく調和して、「感情のやり取り」ができるのです。

相手をよく見て、その声に耳を傾け、思いを感じ取ろうとする姿勢を持ちましょう。五感のすべてを使って、目の前の人の声やしぐさ、表情を感じる。大げさかもしれませんが全細胞を相手に向け、そこから出ている情報を受信する。そんなイメージでコミュニケーションしていくのです。

そうすると、必ずお互いの気持ちが循環し、心の架け橋がつながっていきます。

お互いを大切にすることで、相手のよさを引き出しながら自分自身のよさも最大限に伝えることができます。そこから、自分にとっても相手にとっても、ちょうどいいコミュニケーションが生まれていくでしょう。

●背伸びをしすぎず、等身大の自分でしましょう。

だからこそ、**どんな時も「自然体」が一番。「キャラクター＝自分らしさ」を大切にしましょう。**

私は小柄なこともあって、温和で親しみやすく見えるキャラ。裏を返せば、人から舐(な)められやすいキャラでした。

管理職になった当初は、交渉の場では強さをアピールしたほうがいいと考え、強い主張や口調を試したりもしましたが、あまりうまくいきませんでした。こちらの意見が通ったとしても、その相手との関係が壊れてしまうこともありました。

そこであえていつも通りの自分で接したところ、自身も楽で、いい着地点に落ち着くようになったのです。

自分の、普段の〝キャラ〟を逸脱すると、「あれ、どうしちゃったの？」と、相手を戸惑わせたり、構えさせたりしてしまいます。

個性は千差万別。**「自分のキャラがわからない」という人は、「よく人から言われる言葉はなんだろう？」**と思い返してみるといいでしょう。

ちょうどいい会話の基本2

「お互いの価値を増やすため」を目的にしよう

では次に、もう一つ質問です。コミュニケーションの目的とは、何だと思いますか？
私たちは日頃、何気なく話をしたり、あるいは、人の話を聞いたりしていますが、コミュニケーションには大切な目的があります。

それは、**「お互いの価値を増やすこと」**。

たとえば、誰かと会っておいしいお店の情報を教え合ったとします。この時、二人には**「情報」という価値**が増えました。
また、映画の感想を話して刺激を受けたり、近況報告したりするのも、「お互いの感じ方や考え方に触れて人間関係が深まる」という価値があります。

あるいは、悩み事を相談したり、とりとめのない話をしたりする時間も、人生に「深みやうるおい」という価値をもたらします。仕事の場面でコミュニケーションがもたらす価値は、「営業成績を上げたり目標を達成したりすること」になるでしょう。

コミュニケーションは、お互いの価値を増やすためのもの。これからお伝えするスキルやテクニックを身につける前に、いつもこの大前提を頭に入れておいてください。

●「価値を増やす」ためだから、気に入られなくたっていい

ただ、かくいう私も、若いころは「お互いの価値を増やそう」などとはまったく考えていませんでした。いつも、自分のことで精一杯。「この人からは何が学べるだろう」「この人は私の話を聞いてくれるだろうか」と考え、少しでも意見が対立すると、キッとなって反論することもしばしばありました。

しかし、年齢を重ねて多くの人と交流するうちに考えが変わりました。

コミュニケーションは、お互いの気持ちや考え方、知識をやり取りして、**よりよい関**

SHARE
おいしいお店
ランチがお得
パスタがオススメ
家族連れOK

係を作るためのもの。そして、**私たちの日々を豊かにするためのもの**だと気づいたのです。

立場や考え方が違えば、意見がぶつかることは当然あります。そんな時は、つい不機嫌になったり、イライラしたりしますよね。特に仕事上では、その傾向が強くなります。

コミュニケーションの目的は**対話を通して落とし所や新しい解決策を見つけ、最終的にお互いの求める「価値」を増やすこと。**決して、相手を論破したり言いくるめたりすることではありません。

「価値を増やすには、どうすればいいだろう」と考え、言葉を選んだり話し方を工夫したりし始めると、周囲の反応や話し合いの結果がどんどん変わります。人間関係も円滑になっていきます。

皆さんもこの本を読み終わるころには、コミュニケーションを新しい視点で捉え直し、楽しみながら自分自身を表現していこうと思えていることでしょう。

ちょうどいい会話の基本3

そもそもうまくいかないことだってある

先日、知人からこんな質問を受けました。

「親しい友人に仕事で嬉しかったことを話したら、あとで『マウントされた』と言われてショックだった。自分の話や、伝え方に問題があるのだろうか……」と。

自分ではそのつもりがないのに、マウントだと言われると驚きますよね。

ここで一度考えてみましょう。もし、そのご友人が別のタイミングで同じ話を聞いたとしたら――たとえば、とてもイライラしているときや、とてもいいことがあった後でも――感じ方は「まったく同じ」でしょうか？

おそらく、同じようには感じないかもしれません。たまたまその時に虫の居所が悪

かったかもしれないし、自分の仕事に対して悩みがあったかもしれない。**同じ人でも、置かれている局面や心理状態によって感じ方は変わる**ものです。

人はそれぞれいろいろな事情があります。立場を逆にしてみると、「確かに……」と思えるのではないでしょうか。

私も、悪気はなかったのに相手を傷つけてしまったり、あるいは、怒らせてしまったりと数々の失敗を重ねてきました。また私自身が、相手の発言に傷ついたり違和感を覚えたりしたことも、もちろんあります。

さまざまな経験を通して気づいたのは、**どんなに注意を払ってもコミュニケーションでは失敗もある**ということ。そして、人はそこから学べるということです。

どんなに自分の話や話し方がよかったとしても、そもそもうまくいかないこともある。それくらいの気持ちで、コミュニケーションに臨みましょう。

ここで皆さんに、「どうして、うまくいかないのだろう」「コミュニケーションってむずかしい」と感じたときに、参考になる考え方をいくつかお伝えします。

1 コミュニケーションでは、どうしても誤解や齟齬（そご）が起こりうる

人間は完璧ではありません。だからこそ誠意を持って相手と向き合おうとする姿勢が大切です。

しかし、それでも不本意な事態は起こります。コミュニケーションとは、そういう性質のもの。行き違いや誤解はどうしてもあります。そう割り切っておくと、感情的になったり人間関係で疲弊したりせずに済みます。

2 齟齬や行き違いがあっても、自分のせいとは限らない

どんなにウマが合っても、また細心の注意を払っても、自分と相手は違う人間同士で

す。完全には理解し合えません。

先ほどお話しした通り、その時の状況や精神状態によって同じ言葉でも受け取り方は変わります。いつまでもクヨクヨしないためにも、時には、「これは相手の問題だ」と考えることも必要です。

3 失敗は、会話力をブラッシュアップするチャンスと捉える

1 2の大前提に立った上で、自分自身を振り返るのも大事なプロセス。
「誤解や不調和が生じた原因は何だろう」と自分の発言や振る舞いを振り返ってみる姿勢も大事です。


この時、感情はいったん脇に置き、フラットな状態になって状況を見てみましょう。

すると、それまで気づけなかった視点が浮かび上がってきませんか？

「自分の中にも自慢したい気持ちがあったかもしれない……そんな気持ちが透けて見えてしまったのかも」「あの人に負けたくないと思っていたから、口論になってしまった」。

そんな思い当たる点が見つかってくるかもしれません。

それがわかれば、チャンス到来です。イヤな出来事が学びの機会に変わり、「次から

はどうしよう」と改善策を考えられます。その繰り返しで、コミュニケーションが洗練されていくのです。

●人生もコミュニケーションも、50：50と考える

仕事や対人関係で悩んだ時に自分に言い聞かせてきたのが、「**人生では、いいことも悪いことも50：50で起こる**」という言葉です。

ある期間だけを区切って見ると、いいことが次々起こる時期もあれば、悪いことや、つらいことが続く時もあります。

しかし、人生をトータルで見てみると、ちょっと違った景色が見えてきます。

自分にとって心地いいことや嬉しいこと、うまくいくことが50あったとしたら、心地よくないことや悲しいこと、うまくいかないことも50。チャンスが多い時も、不遇の時も50：50。

こう考えると、目の前の出来事に振り回されずニュートラルな状態に戻れます。心のざわつきも、スーッと静まっていくのです。

「人生は苦労が多くて当然、歯を食いしばってがんばらなければ」と思っていると、毎日がつらいものになります。逆に「いいことがあるのが当たり前だ」と思っているとイヤなことが起きた時に「こんなはずじゃないのに」と戸惑い、落ち込みます。

でも**「人生は50：50」と捉えていると、フラットな視点をキープできる。**心に重荷を背負わず軽やかに生きるための知恵として、私が大切にしていることです。

コミュニケーションもこれと同じ。50：50と思っていれば、トラブルがあっても自分や他人を責めず、フラットな目線で状況を見られるでしょう。

会話の心地よさは「聞き方」で決まる

ちょうどいい会話の基本4

　ここまでにご紹介した「ちょうどいい会話の基本1〜3」は、コミュニケーションの基本となる心構え。ここからは、実際にどのようなコミュニケーションが「ちょうどいい」のかを考えていきましょう。

　グループで話す時、あなたは自分が輪の中心になるタイプでしょうか。それとも、聞き役に回るほうでしょうか？

　もし、「話し終わってみたら、自分ばかりしゃべっていた」もしくは逆に、「ほとんど発言せず、うなずいているだけだった」といった状況では、正直、ちょうどいいコミュニケーションとは言えません。

　大人のちょうどいいコミュニケーションは、双方向であることが基本です。会話を通して「価値を増やすこと」が目的ですから、当然ですね。

ここで一つ大事なポイントがあります。それは、「**まず、相手を主役にして話してもらうと、会話がスムーズに進む**」ということです。

人は、自分の話を聞いてくれる相手に好感を持ち、もっと交流したいと思う生き物。「話し上手は、聞き上手」という言葉がありますが、聞き方がうまい人とのコミュニケーションは、「楽しかった、また会いたい」と思わせてくれるものです。

意外な話に展開したり、盛り上がったり……皆さんも、「楽しくて、思わず話してしまった」「いつもはしゃべらないのに、思ってもみなかったことを話した」という経験があるのではないでしょうか？　その時の相手は、もしかすると、とても「聞き上手」だったのかもしれません。

そんな会話ができると、お互いにたくさんの気づきや充実感を得られます。そう、コミュニケーションによって、お互いに価値が生まれるのです。

こんなコミュニケーションを可能にするのが「聞く力」。そして、相手の心に寄り添う「ちょうどいい」姿勢です。

会話の達人になるには、「聞き方」を学ぶのが早道です。「**まずは、相手の話を聞く。自分の話はその後で**」と考えるといいでしょう。

KIITE!
相手
STAGE
FUMU
FUMU
自分

●聞くことは最大のコミュニケーション

ただし、ただひたすら人の話を聞けばいいというわけでもありません。聞き方にもルールとコツがあります。

多くの人は、「相手の話を真剣に、誠実に聞こう！」と思っているのではないでしょうか。もちろんそれ自体は正しいことですし、コミュニケーションの大前提です。

でも実は、聞き方を少し工夫すれば、もっと相手の話を引き出すことができるのです。

相手が心を開いて話してくれるための鍵は、「聞き手が、相手にどれだけ寄り添えるか」。これは、常に相手の表情やしぐさを観察し、その時々の気持ちを想像して、相手が話しやすい状況を整える力です。

私がアナウンサーになったばかりのころ、とても意外だったことがあります。

それは、いざ現場に出ると「聞く仕事」がとても多かったこと。たとえば、若手のころは街頭で、1日50人以上にインタビューすることもざらでした。歩いている人を突然呼び止めるのですから、嫌な顔をされたり、無視されることもたくさんありました。そういった方に「どうすれば話していただけるだろう……」と苦心しました。

番組インタビューや取材では、著名人や専門家にじっくり話を伺う機会もありました。中には、口の重い方や口下手な方もいれば、聞きにくいテーマに切り込まなければいけない時もあります。

そんな時に心を開いていただくために私が実践したのも、「**とにかく聞く**」だったのです。

「自分はいつも話しすぎているな」と思う人は、時折「○○さんは、どう思う？」「○○さんの場合は？」など、発言の少ない人に話題を振ってみましょう。

逆に、いつもうなずいてばかりの人は、「今日は、3回は話にからんでみよう」と決め、タイミングを見て発言するようにしましょう。

最初は少しずつで大丈夫です。小さなトライを繰り返していると、どんどん慣れていきますよ。

●まずは、相手が話しやすい雰囲気作りを心がける

誰でも使える聞く力や相手に寄り添う力を発揮するために、まずは、**「話しやすい場作り」**から始めてみてください。

人はリラックスした雰囲気の中では、心を開いて話しやすくなります。初対面の方にインタビューするとき、また仕事の交渉のとき、友達と久しぶりに会うときなど、どんな場面でも、場作りから始めるのが鉄則です。

そのためには、まずは笑顔。そして明るく響く声で挨拶して、和やかな雰囲気を作りましょう。

「こんにちは。今日はよろしくお願いします」

「久しぶり、元気だった?」

こうほほえみながら、いつもより少し高いトーンで第一声を発してみましょう。実はこれだけでその場の空気が明るくなります。相手も自然に同調して、気分がほぐれるはずです。

逆に、こちらが緊張した硬めの表情で、ボソボソと話し始めたとしたら、どうでしょう。相手にも緊張が伝わって身構えてしまいます。**特に「話し始め」は、お互いの状態を感じ取る時間**なので、ゆったりした呼吸を心がけ、自然体で臨みましょう。

いきなり本題に入らず、天気の話など、誰でも共有できる軽い雑談をすると、さらに場が和やかになります。相手の好みや生活環境がわかっていれば、好きなスポーツや趣味など、話しやすい話題を選ぶと、一気にお互いの距離が縮まるでしょう。

第2章以降では、もっとたくさんのコツをお話ししていきます。

ちょうどいい会話の基本5

相手にとってちょうどいいリアクションをする

相手に心地よく話してもらう最大のコツ。それは、「リアクション」です。これは、声を大にして言いたいくらい重要です。自分は話し下手だと思っている人は、**まずリアクションの達人を目指しましょう**。

たとえばあなたが話している時、相手がお地蔵様のように無表情で何も反応しなかったらどうでしょう。「私の話、大丈夫かな」と不安になりますよね。まして、目も合わせてくれなかったら「怒っているのかも」と心配になります。

リアクションの役割は、「**あなたの話に興味がありますよ**」「**ちゃんと聞いてますよ**」**というメッセージを発する**こと。その場に合った反応が自然にできるようになれば、それだけで相手は「自分の話を聞いてくれているのだ」と安心します。これが「ちょうどいい」聞き方の重要なポイントです。

実は、講演をしていると時々、不安になることがあります。

客席ではどなたも真面目に聞いてくださってはいるのですが、うなずいたり笑ったりといった反応がほとんどないことがあるのです……。

ところが、講演が終わると一変。参加者の方が来られて「とてもよかったです！」「勉強になりました」とお声掛けくださることも少なくありません。

そんな時は、お役に立ててよかったとホッとします。日本には感情を表に出さない文化があるのだなと改めて感じます。

リアクションが薄い人が多い中、**熱心に話を聞いてくれる人はそれだけで目立つ**ことができます。きっと相手の人はあなたを、「話を聞いてくれる信頼できる人」と感じることでしょう。話し合いがスムーズに進めば、お互いの関係はもっと深まります。

● 笑顔とアイコンタクトで安心感を与える

ではここでさっそく、リアクションの基本からお話ししていきましょう。

まず一つ目の基本は、アイコンタクト。**相手と目を合わせて話す**のは会話の基本です。安心感を与え、信頼関係を築くためのベースとなります。

相手の目を見て軽くうなずきながら話を聞きましょう。ずっと見続ける必要はありませんが、関心が向いていると相手に伝えるのは大事です。

ただし、目だけを凝視すると威圧感を与えてしまいます。ですから、時には喉や胸の辺りを見たり、視線を下に落としたりしましょう。

二つ目が、表情。表情もリアクションの道具の一つです。**「笑顔」と「柔和な表情」を意識**しましょう。口角を少し上げ、自然な笑顔を作ってみてください。眉間にしわが寄っていたり、口が「へ」の字に曲がったりしていないかに注意。慣れないうちはむずかしいかもしれませんが、やわらかな表情を心がけてみましょう。

ただし、作り笑いをしたり無理に優しげな表情を作ったりする必要はありません。よいコミュニケーションを取ろうという気持ちがあれば、自然に優しい表情になります。これまでに嬉しかったことなど、自然と笑顔になる光景を心の中でイメージすることもおすすめです。

●リアクションには「大・中・小」がある

そうはいっても、実際の場面でうまく反応をするのは結構むずかしいと感じるかもしれませんね。たいていは、ただうなずいたり「ええ」と繰り返したりするだけになりがちです。

そこでワンパターンを避けるためにおすすめなのが、**リアクションを「大・中・小」の3パターンに分類しておく**ことです。

自分なりに、で構いません。リアクションを、「大・中・小」に分けてみてください。さらにもう1つ「特大」を用意しておくと便利です。次のページのようなイメージです。

（小）軽いうなずき
相手の目を見て、軽くうなずきながら、「はい」「ええ」などと言う。

（中）相手への共感を示すあいづち
やや大きくうなずき、「そうだったんですね」「そうですか」「確かに」などと言う。

（大）相手の話に対して感情を込めた反応
大きくうなずきながら、「そうなんですね！　それは驚きましたね」「そうだったのですか！　意外です」などと、感想や共感を示す言葉を言う。

（特大）驚きや共感を伝えるバリエーション
「うわぁ、そうなんですね！　お話を伺って驚きました」

「そうでしたか。それは大変でしたね」

「すごい！　それは嬉しかったですね」

「今のお話、とても感動しました」

「そんなこと、絶対信じたくないですよね」

なるほどー
中
はい
小
エ゛ーッ
特大
へーっ
大

実はこれだけで、かなり相手に安心感や嬉しさを感じてもらえます。「自分の話をきちんと聞いてもらっている」そして「いつの間にか、こんなに話していた」といった状況が作れます。もちろん、あなたの好感度も上がること間違いなしです。

これは、覚えておく必要はありません。「こんな方法がある」とわかっていれば、会話の中で自然に出てくるようになるからです。できれば一度、自分でそのリアクションをやってみてください。

コツとして、リアクションは、**ちょっと大げさなくらい、具体的には「5割増し」くらい**がちょうどいいでしょう。

お手本にしたいのは、お笑い芸人さんたちのリアクションです。バラエティーやトークショーなどで、芸人さんたちは驚きの表情を作ったり手を叩いて笑ったりして番組を盛り上げていますね。これは実はかなりのオーバーリアクション。日常ではあり得ないくらいのリアクションです。

しかし、「5割増し」くらいのリアクションをしないと、画面の向こうの視聴者には伝わりません。芸人さんたちはそれを知っていて、手を叩いたり、時には立ち上がったりして、大げさなリアクションをしているのです。

皆さんに真似してほしいのは動作ではなく、**相手の話をしっかり聞いていることを伝えようとする彼らの姿勢**です。

どんなに感心したり感動したりしても、小さくうなずくだけでは届きません。自分の気持ちを伝えるためには、いつものリアクションよりも少しオーバーにしてみるくらいが「ちょうどいい」と考えてみてくださいね。

● 相手のノリに合わせたリアクションを

ただそうは言っても、リアクションは、あくまでも相手あってのもの。

相手が静かなトーンで深刻な話をしているのに、高いテンションであいづちを打つと、「鈍感な人」のレッテルを貼られてしまいます。特に、初対面では相手の人となりがわからないので、**相手の「ノリ」を感じて、「ちょうどいい」ポイントを探る**ことが大切です。

まずは、自分のいつものノリで話をしてみて、「あれ？　ちょっと違うかも」と感じたら、相手に合わせて声量や声の大きさのトーンを調整するといいでしょう。

相手に気に入られたいからと、心から納得していないのにあいづちを打ったり共感を示したりするのもよくありません。相手と建設的な関係を築くという大前提に立って、**自分の率直な気持ちを表現していきましょう。**

テレビ局に勤めていたころ、ありがたいことに数々の著名人に取材する機会をいただきましたが、中でも私が「見事なリアクションだ！」と感じたのが、ハリウッドスターのトム・クルーズです。

私が初めてトム・クルーズにインタビューをしたのは、主演映画のプロモーションで初来日した時のこと。それ以来15年ぶりに再びインタビューをしたときのことです。

取材可能な時間は、2、3分間しかありません。その間にレッドカーペットを歩く彼をつかまえて、なんとかいいコメントを引き出さなければなりません。

大勢いるリポーターの中で、どうしたら目を留めて話してもらえるか。第一声を考え、近づいてきた彼に私は明るく、「Long time no see!（お久しぶり！）」と声をかけました。

トムは私を見て一瞬だけ「?」という顔をしましたが、ここからが彼のすごいところ。すぐに例の爽やかな笑顔で「ああ！　あの映画の時だよね！」と返してくれたのです。私は、思わず仕事を忘れて大喜びしてしまいました。

彼が本当に私を覚えていたかは定かではありません。しかし、さすがはスター。とっさの状況でも、相手をがっかりさせることなく、それ以上の気持ちにさせるリアクションを取ってくれたのです。その対応力はあっぱれでした。

リアクション一つで、相手をここまで喜ばせることができるのです。

●あいづちは「同じ言葉」で返す

リアクションにはさまざまな種類がありますが、相手に同意を示したい時は、まず自分なりの解釈を加えずに、相手が言った言葉をそのまま繰り返すのがよいでしょう。

同じ言葉でも、育った環境や考え方によって理解の仕方はさまざま。特に、感情を表す言葉は、その人のバックグラウンドで捉え方が違います。

たとえば、「つらかったんです」と言葉を発された相手には、「おつらかったんですね」と同意のリアクションをしてみましょう。すると相手にも、その言葉がスッと胸に入り、自分の気持ちをわかってくれたんだと思ってもらえるはずです。

ＮＧなのはここで自分の勝手な解釈を含んだあいづちをしてしまうこと。たとえば、

「つらかったんです」と話を聞いた時に、勝手に解釈をして「苦しかったんですね」と返してしまってはいけません。相手も、「なんか違うな……」と小さな違和感が残ってしまうおそれがあります。時にはこんなささいな行き違いで感情の交流が途切れてしまうことさえあるのです。とりわけ、悲しみや不安などの否定的な感情や出来事の場合は要注意です。

まだ話の核心に触れていないのに、「わかる」というあいづちを多用するのも考えものです。「うんうん、わかるよ」と言うと、相手を「そんな適当に言ってるけど、本当にわかってるの?」という気持ちにさせてしまいかねないのです。

もちろん、あなたが本当に相手の気持ちや状況が理解できるのなら、「わかる」と伝えるのは問題ありません。つらい時に信頼する相手から、「わかる」と言ってもらえるとホッとするものです。

●気の利いた言葉が出なくても気持ちが伝われば大丈夫

ここまでさまざまなリアクションをお伝えしてきましたが、実はどんな言葉でも、相手を心から思い、発した言葉は人の支えになる力を持っているのです。

ただ実は、特に言葉がなくても、「気にかけている」と示すだけでも十分なときがあります。

以前、友人のお母様が急逝した時のこと。どれほどのショックか、彼女の胸中を思うとそっとしておくべきかと迷いましたが、やはり電話だけでも……と思い切って連絡を取ってみました。しかし私は、電話口で泣く彼女に対して何も言うことができませんでした。ただ「本当に寂しいね」と、私も一緒に涙することしかできなかったのです。

しかしその友人は、会うといまだに「あの時、一緒に泣いてくれたことは今でも忘れられない。感謝している」と言ってくれます。

気の利いた言葉や名言を言えなくてもいいのです。相手の気持ちに寄り添い、そこから出た一言が人を助けることもあります。

大切なのは、あなたを思っているという気持ちを自分なりの言葉で伝えていくこと。「ちょうどいい話し方」は、必ずしも何か気の利いた言葉やリアクションだけではなく、自分と相手が、ちょうどよく調和するコミュニケーションなのです。

ちょうどいい会話の基本6

シンプルな「これだけメッセージ」を決める

さて、相手の話をしっかりと聞けるようになったら、次はいよいよ、自分のことを話してみましょう。

しかし、ここは非常にむずかしいポイントです。

私がテレビ局に勤務していたころ、多忙なプロデューサーや上司に打ち合わせの時間を取ってもらうのはいつも一苦労でした。時には、エレベーターで一緒になったタイミングで、「あの、ちょっとお時間を頂きたいのですが」と話しかけ、アポイントを取ることも。

打ち合わせ中も、長々と話していると「で、何が言いたいの？」と彼らを苛立(いらだ)たせてしまいます。気心の知れた友人などでしたら、それでも話を聞いてくれるとは思いますが、そんな人ばかりではありません。**相手がいつも自分の話を聞いてくれるとは限らない**のです。

だから、相手と話すときは、要点を手短にまとめて、「ちょうどいい」長さで伝えられるように。相手の時間を必要以上に奪いすぎないのも、「ちょうどいい」話し方のテクニックの一つです。

そのために必要なのが**「これだけメッセージ」**です。

「これだけメッセージ」とは、文字通り、**「これだけは確実に伝えようというメッセージの核心部分のこと**です。

自分の気持ちが強くて、どうしても相手に伝えたい場面ほど、たくさんのことを一気にしゃべってしまったり、逆にうまくまとめて言えなかったりしますよね。

そんなときでも、話す前に「これだけメッセージ」を明確な言葉にさえできていれば大丈夫。ポイントが相手にも伝わりやすいし、たとえ途中で脱線してしまったとしても、再び話の核心に戻ってくることができるのです。

「これだけメッセージ」が徹底できれば、このようなメリットがあります。

①周囲の人から話がわかりやすいと言われる
②自分で話の本質をつかめる
③言語化ができやすくなる

いつも**「何が一番大事なメッセージか」**を考え、それを真っ先に投げかけるようにしましょう。

たとえば、アナウンサーがＣＭに入る直前に語る一言、生中継の冒頭、現場の状況を10秒以内でレポートする言葉も「これだけメッセージ」と言えます。

「今年の桜の開花は、例年より３日早い予想です」
「昨夜の大雪で交通機関に影響が出ています」
「この新薬により○○の治療法に新たな道が拓けました」

たとえば、この本であれば『「ちょうどいい話し方』とは、自分と相手の両方を大切にする、互いが調和する話し方のことだ」が、「これだけメッセージ」と言えるでしょう。

●「今日の気持ちにタイトルをつけるなら？」と考えてみる

日頃から、こんなふうに考えてみましょう。

「今日の気持ちにタイトルをつけるなら？」

何事もこう考えて言語化する習慣をつけると、話の本質をつかむ力がつきます。

たとえば、久しぶりに友人と遠出してリフレッシュできた休日。「あぁ、楽しかった！」と振り返る時に**「今日の楽しさを一言で表すなら？」「今日の気持ちにタイトルをつけるなら？」と考えてみる**のです。その答えは、「友人とたっぷり話せて大満足」かもしれませんし「自然に心ゆくまで浸って癒やされた」かもしれません。

こう考えるクセをつけると、自分の感じていることを再認識でき、整理してわかりやすく話せるようになるでしょう。

皆さんもぜひ、「これだけメッセージ」を言語化して、それを意識しながら話す練習をしてみましょう。

最高の
1日だった！
つまり

ちょうどいい会話の基本7

「会話泥棒」にならない

「会話泥棒」とは、人の話の途中で横取りして、自分の話に持っていく人を言います。

たとえば、「そういえば、この間ね」とすぐ話題を変えてしまう。「実は、私もね」と自分の経験談に持っていく。グルメ情報を聞いて、「そこ、行ったことある！」と相手より先にお店の話を始めたり、「ここもおいしいよ」と別のお店の話をしたりする……。

万が一、心当たりがあるようなら黄色信号かもしれません。

あなたは普段、このようなことをしていないでしょうか。


「聞き上手」の人を観察してみると、わかることがあります。

それは、聞き上手な人は、相手に失礼なことをしないということ。一見当たり前のようですが、実はこれは意外とむずかしいことです。

どんなにうまいリアクションができたり、「これだけメッセージ」が伝えられたりしたとしても、自分と相手がちょうどよく調和できなければ、意味が薄れてしまいます。

聞き上手な人の質問力を身につけるのはむずかしいかもしれませんが、彼らが**「絶対にやらないこと」を知って心がけるようにする**だけで、自然にあなたも聞き上手の人に近づけます。

●「聞き上手な人」がやらないことをやめてみよう

他にも、聞き上手な人が決してやらないことを４つ紹介します。

1 相手の話をさえぎらない

自分が話しているのに、「でも、それって○○じゃない？」「あ、その話、聞いたことがある」と割って入られたら、誰でも話す気持ちが萎えてしまいますね。

聞き上手の人は、相手の話を途中でさえぎりません。「そんなこと、言われなくてもわかってる」という声も聞こえてきそうですが、家族や友人など親しい仲ほど、ついやってしまいがちです。人の話をさえぎるたびに、相手の中には「この人は私の話を聞いてくれない」と不信感が積もっていくので要注意です。

❷ プライベートに踏み込みすぎない

相手に興味を持って聞くのは重要ですが、仕事上の知り合いやさほど親しくない人に、家族構成や学歴などプライベートなことまで聞くのは考えものです。相手の受け答えを見て、ちょうどよい距離感を保つようにしましょう。

❸ 否定的な話はポジティブに言い換える

誰でも頭ごなしに否定されたら、いい気持ちはしないものです。また、批判や否定は建設的な会話になりにくく、価値を生むコミュニケーションから遠ざかります。

さらに、「あのお店はおいしくなかった」「あの学校はひどい」などと話していたら、メンバーにその関係者がいて気まずかったといった話を耳にすることもあります。

否定的な内容を話すときも、ストレートな表現ではなく、ポジティブな視点から物事を捉えたときに出てくる言葉で、会話を進めていくように心がけてみてください。

4 むやみにアドバイスしない

ただ話を聞いてほしかっただけなのに、「もっと○○したら？」「次は○○したほうがいいよ」などと言われたり、自分の悪いところを指摘されたりして、モヤモヤしたという話を時々聞きます。

人が困っていたり悩んでいたりすると、つい親切心から助言したくなるものですが、アドバイスは、求められた時だけにするのが原則。人への助言は、「○○さんは、どう思う？」「どうしたらいいかな？」などと尋ねられてからにしましょう。

でももし、アドバイスを求められた時は、誠実に、真摯に答えてみてください。自分なりにで構いません。たとえうまいアドバイスが出来なかったとしても、あなたの優しさは相手にしっかり伝わっているはずです。

コラム

「人をけなさず、自分をはっきり」ニューヨーク支局で学んだアメリカ流コミュニケーション

ニューヨーク支局で学んだ「アメリカ流の相手を否定しないコミュニケーション術」が、とても印象に残っています。

ニューヨークでは、あらゆる場面で「**あなたは、どうしたいの？**」と尋ねられます。

日本的なあいまい表現では伝わりません。「イエス・ノー」はもちろん、自分の考えを答えなければ「よくわからない人」になってしまいます。自分の意見を持つこと、それを明確に伝えることの大切さを学びました。

ただ同時に、**相手と自分の意見が異なったときに、「反対意見を否定するので**

はなく、自分の推すもののいいところをプレゼンする」のもアメリカ流と学びました。

たとえば、「ピザとパスタ、どちらをテイクアウトするか」というシーンがあったときに。自分がピザが食べたかったら、シンプルにピザのよさをプレゼンするのです。パスタがイヤだ、嫌いだとはわざわざパスタ派を否定することは言いません。

アメリカ人は自己主張をはっきりするものの、本音の好き嫌いは言わないという見方もあります。本心が言葉でストレートに伝わらないむずかしさはありましたが、多様な文化の中で嫌な空気や軋轢（あつれき）を生まないための工夫だったように思います。

さまざまな個性の中で自分をしっかり主張しながら、相手と調和していくひとつのモデルをニューヨークで見ることができ、その後のコミュニケーションに大いに役立ちました。

第2章

ちょうどいい会話のコツ

スキルよりも大切なのは「伝えたい気持ち」

コミュニケーションは、声の質や滑舌、言葉遣いで決まるわけではありません。
もちろんスキルがあるに越したことはないですが、それよりも大事なものがあります。

それは、**相手に伝えたいという気持ち**。
そして、**その感情を言葉に込めること**です。

でも「言葉に感情を込めるのは苦手……」という方もいるかもしれませんね。

実は、「感情」は無理してまで込めなくてもいいのです。

私たちは日頃、自然に感情を言葉に込めています。その感情によって、抑揚や緩急、声のトーンや速さ、語調の強さなどが自然と変わっているのです。

たとえば、「ただいま」という言葉。同じ「ただいま」でも、いいことがあった日と疲れて帰った日では無意識のうちに言い方が変わりますよね。

他にも、「今日大変なことがあったの！　家を出たらね……」と報告するとき、誰もが無意識に「大変なこと」の部分を強調するように話しているはず。

一方、テレビの謝罪会見を見ていたら、お詫びの言葉を連ねているのに誠意が感じられずモヤッとした……。こんな経験はないでしょうか。

これは、本人の声や表情に、反省の気持ちよりも、仕事上の立場でやむなく語っているのが透けて見えてしまうからです。

●言葉よりも、無意識の感情のほうが伝わっている

人は話をするとき、無意識のうちに、感情を込めています。そのときのことや場面を

思い浮かべ、現場にいるような感覚で話しています。

ここに、「相手とわかり合いたい」「この時間を価値あるものにしたい」気持ち、つまり「相手に伝えたい」という思いが合わされば、ひとりでに感情が言葉に乗るのです。

ですからまずは、**伝えたいという思いを大切に**しましょう。無理に感情を込める必要はありません。自分の純粋な気持ちは必ず相手に伝わり、いいコミュニケーションが生まれます。

これが基本原則。極端なことを言ってしまえば、**「伝えたい感情」が言葉に乗っていればそれでOK**です!

●自分のありのままの気持ちを、相手に届ける方法

感情のこもった言葉には、相手の心に響く説得力があります。逆に、感情がこもっていなければ、どれだけ美辞麗句を並べても相手の心には届きません。**言葉と感情はセットになって、聞く人にその真意が伝わる**のです。

だから、「感情表現が苦手だ」という人は、まず、「ありがとう」とお礼を伝えるところからトライしてみましょう。

そこに、あなたなりの感謝の気持ちを込めてみてください。複雑に考える必要はありません。まずは思いを込めて、できれば、「嬉しいです。ありがとうございます」と言葉を添えてみましょう。

同じ言葉でも、込められた感情次第で、印象はガラリと変わります。

たとえば、次の場面を想像しながら、それぞれどんな言い方になるか、そして、どんな印象を持つかを想像してみてください。

＊「ありがとう」
・家族にコーヒーを淹れてもらった時の「ありがとう」
・大事なお財布を落とし、拾って届けてもらった時の「ありがとう」
・「こんな時は何て言うの？」と母親に言われた子どもの「ありがとう」

＊「ごめんなさい」
・すれ違いざまに肩が当たった時の「ごめんなさい」
・失敗をして多大な迷惑をかけてしまった友人への「ごめんなさい」
・自分は悪くないと思いながら、ふてくされて言う「ごめんなさい」

アナウンサーの新人研修や話し方講座でもこのワークを行います。二人一組になり、シーン別に感情を込めてどの場面か当て合うのです。「同じ言葉でも、そこに込められた感情によってこんなにも伝わり方が違うのか」と体感できます。

まずはぜひ、家族や気のおけない友人に対して練習してみてください。慣れてきたら、次第に職場や初対面の人へと広げていくといいでしょう。

初対面の人との出会いを楽しめる3つの習慣

気心の知れている人なら自分の気持ちを伝えやすいかもしれませんが、初対面の人にはなかなかむずかしいですよね。

社会に出ると、営業や打ち合わせ、面接、婚活や合コンなどプライベートな場面でも「はじめまして」の方と接する機会は多くあります。私自身、取材や街頭インタビューでいつも、必死で笑顔を作っていたのを思い出します。

どうすれば初対面の相手ともリラックスして話せるのか。あれこれ試してみたところ、実は簡単な準備を3つするだけでかなり気持ちが楽になるとわかりました。

●事前に、うまくいくイメージをする

相手との会話がうまくいくイメージをしてみましょう。

たとえば、打ち合わせや会議の前は「よいコミュニケーションを取ろう」「心を開いて話し合える場作りをしよう」と、その時間が有意義なものになるようイメージ。また友人との会食では、「楽しい時間を過ごそう」「お互いが会えてよかったと思える時間にしよう」とイメージします。

逆にバタバタしたまま話し合いに入ると、慌ただしい雰囲気を引きずったり、相手との距離感がつかめなかったりして不完全燃焼で終わることもあるので、時間がない時でも一呼吸おいて臨むことが大切です。

短時間で構いません。場所も、会社のデスクやトイレ、移動の乗り物の中など、どこでもOKです。**「これから始める相手との会話をいいものにしよう」とイメージする**だけで、その場に臨む気持ちや態度が変わり、準備が整います。

●「成功するおまじない」を決めておく

　緊張感に満ちた生放送の現場で最もプレッシャーがかかるのは、初見でニュースを読む時でした。文字通りぶっつけ本番で、初めて目を通す原稿を正確に読み、しかも時間内に収めなければなりません。

　そんな時に役立ったのが、**「大丈夫」という「おまじないの言葉」**でした。

　本番前、極限まで緊張が高まる中で「大丈夫！」と自分で自分に言うのです。「大丈夫、うまくいく！」「絶対、大丈夫！」と自分に言い聞かせます。

　とちりグセがあり、新人のころは毎日と言っていいほど生放送で失敗していた私ですが、このおまじないを唱えるようになって、次第にとちらず時間内に読み切ることが増えたのです。あがり症だったので、どれほど助けられたかわかりません。

今でも講座の参加者に、自分なりのおまじないの言葉を決めるように勧めています。ポイントは「**短い一言で、かつ聞いた瞬間に自分が前向きになれる言葉**」です。

初対面の人に会う時はもちろん、緊張する打ち合わせやプレゼンの前、また、会話の途中でも「どうしよう」と焦りはじめたらこのおまじないは使えます。「いい流れ！」「必ずうまくいく！」など、しっくり来る言葉を選んで、成功の呪文にしましょう。

● 体をほぐして、緊張を解く

人が緊張するのは脳や心の働きによるものですが、**実は緊張の影響は体にも及んでいます**。初対面の人と会う時は、緊張で体がこわばったり、奥歯をギュッと噛み締めてあごに力が入ったりしてしまいます。無意識のうちに呼吸も浅くなっていて、苦しくなることもあります。

そんな時に役立つのがストレッチです。その場で次の動きをするだけでも、体がゆるんで緊張がほぐれていきます。

- 両肩を思い切り上げて、その後、脱力してストンと落とす。
- 首を前後左右に倒したり、ゆっくりと回したりする。
- 組んだ両手を上げて大きく背伸びをする。
- 最後は口角を上げて笑顔で顔の筋肉も緩ませる。

特に、肩や胸、肩甲骨、首まわり、顔の筋肉は緊張が溜まりやすい場所。重点的に動かして、こわばりをほぐしていきましょう。これだけでも、大きな効果が実感できると思います。

ぜひ、この3つと笑顔を習慣にしてみてください。

きっと、たくさんの新しい出会いを楽しめるようになるはずですよ。

相手に「快」を感じてもらえば、ちょうどいい「距離感」になる

アナウンサーは非常に多くの方にインタビューするため、一瞬にして相手に心を開いて話してもらう力を徹底的に鍛えます。私も著名人から一般の方まで、数多くの方のお話を伺ってきました。幼児から100歳近い方まで、年齢も職業もさまざまです。

その中で学んだ、初めての人にも心を開いてもらえる話し方というのがあります。

それは、初対面に限らず、**とにかく相手に「快」を感じてもらう**ということです。

アナウンサーは少しでも相手の気分が「快」になるよう心がけています。人は不快になると、心を閉じてしまうからです。

ですから、そんな方たちに心を開いてもらうために、**相手の気持ちを想像しながら、心地よさを感じてもらえる環境を整える**のです。

部屋に入る時から笑顔を意識し、リラックスした雰囲気を作っておく。そして話し始めは「今日はお時間をとっていただき、ありがとうございます」「お会いできて嬉しいです」などと心を込めて伝えます。

この時、**相手のリアクションをさりげなく観察してみましょう。**相手は今話し合いに前向きなのか、それとも疲れていたり緊張していたりするのか……。今どんな気持ちでいるのかを感じ取り、状況に合わせて会話を進めていきます。

特に初対面では、誰でも「どんな人だろう」「どんな話になるのだろう」と構えるもの。だからこそ、「ああ、この人は私を気分よくしてくれる人なんだ」と思ってもらって、警戒心を解いてもらうのです。

たとえば、このようなことを意識してみましょう。

- 入室した時点から笑顔でいる
- にこやかに挨拶する
- 時間をいただいた感謝を伝える
- こちらもリラックスして臨む
- 相手の表情やしぐさをみて気持ちを想像する

「快」の状態を意識すると自分自身も心地よく、お互いに「いい時間だった」と思えます。**相手が今「快」か、それとも「不快」なのかをチェックする習慣をつけるといいでしょう。**

相手を知ろうとする気持ちが最大の原動力になる

では、相手の心を一瞬で開くためには、実際にどのようなことをすればいいのか。

ここからは、その具体的な方法をお伝えします。

1 雑談で心をほぐす

インタビューではいきなり核心に入らず、必ず雑談を数分して場があたたまってから本題に入るのが基本です。テレビの取材で雑談が必要なのは、何より相手の方と距離感を縮め、場を和ませるためです。

日常生活でも、話が盛り上がらず、なんだか重苦しい……という時はありますよね。

ですから、「お忙しい中お時間を作っていただき、ありがとうございます。どうぞよろしくお願いいたします」「明るくて素敵なオフィスですね」「今日はよく晴れていて、気持ちがいいですね」などと声をかけて、少しでも和やかなムードが作れるようにするのです。言葉だけでなく、やわらかな表情や優しい声のトーンも意識して、相手の心がほぐれるのを待ってから徐々に核心に入っていくと、「この人は話しやすそうだ」「安心して話せる」と思ってもらいやすくなります。

他にも、個性的なメガネや時計、アクセサリーなどは、本人のこだわりが表れている部分。「おしゃれなデザインですね」などと声をかけると喜んで下さり、そこから話が弾むこともよくありました。

2 相手は「大好きな人」と思い込む

もし、相手が、「最高に好きな人」「最も興味のある人」だと思い込めれば、しめたものです。無理に嫌いな人を好きになろうとしたり、自分より力のある人におもねったりする必要はありませんが、**相手のことを知りたいと思う気持ちはコミュニケーションを深める原動力になります**。すると、質問が次々浮かぶのです。

好きな人に対しては、表情や振る舞いなどの非言語コミュニケーションを通しても、その気持ちが自然に届きます。普段はあまり興味を持たない分野の人と話をする時は、「この分野にものすごく関心を持っていたら、何を聞きたいだろう」と考えて、話をしてみてください。きっと、相手も心地よく感じてくれるはずです。

3 どんな相手でも、とにかく話を聞く

話をさえぎられると、人はやはり不快なもの。すると心の架け橋がなくなってしまうのです。ですから、話題が横道にそれても、基本的には話を止めてはいけません。

もし、相手が怒っていたり不機嫌だったりするときには、まずは無理に機嫌を取ろうとせず、「腹をくくって聞こう」と決めてしまいましょう。不機嫌な人には、不機嫌なまま話したいことを話してもらう。怒っている人に対しては、その怒りをぶつけてもらう。まずはそれが優先事項です。

大切なのは、相手の気持ちを受け止めること。相手を完全に理解する必要性はありませんが、**「理解しようとする」あなたの姿勢は相手にも伝わっている**のです。

でも、ずっと人の話を聞いているばかりでは、疲れてしまいますよね。そんなときは、P102の「話題をうまく変える方法」を試してみてください。

4 話が間違っていても、すぐには指摘しない

たとえば、年号や日付、人名、地名、固有名詞など、誰でも勘違いや言い間違いはあ

るもの。間違いをどのタイミングで指摘すればいいかは、相手との関係性や場のほぐれ具合によって変わります。

会話の途中で相手の話に誤りがあった場合、**基本的に、その場はスルー**。その後、必要に応じて指摘するほうがいいでしょう。間違いを正すより、お互いの気持ちを循環させるほうが先決です。

いちいち指摘すると、せっかく気持ちよく話している相手の気持ちにブレーキが掛かります。それよりも「この方にとっては、それが正しいのだ」と受け止め、テーマに沿った流れを止めないほうがいいでしょう。

ただしお互いの関係が深まっているときには、「もしかすると、それは○○じゃないでしょうか」「あ、それは○○かもしれません」などとサラッと指摘するようにしましょう。

私は、話の根幹に関わらない日付の間違いなどは、そのままにして会話を楽しむことが多いです。逆に、相手から、「違う、それは○○だったわよ」と指摘された時も、「そうだったかしら？　そうかもね」とサラリと流すことが相手との会話の時間をよりよいものにできるコツだと思っています。

相手と距離を保ちたいときは共通の目的に集中する

ときには、「あの人と話すのは嫌だなあ」という気持ちが生まれてしまうことがあるかもしれません。人間なら誰しも、好き・嫌いはあるものです。それ自体はまったく問題ありません。

相手の言動が気になるのは、**「お互いのリズムが合わない」「話し方が自分とは合わない」といった程度のことだと捉えてしまいましょう。**他人の気に障る発言をしたり嫌味を言ったりする人は、単に本人の習慣で無自覚に言っているだけで、悪意はないことも多いのです。

ただ、そうは言っても、あなた自身を大切にしてこそのコミュニケーションです。ここでは、そのための対処法をお伝えしましょう。

第1章でお話ししたように、コミュニケーションの目的は、お互いの価値を高めること。これは、どんな相手にも共通です。

ですから、苦手な相手とあなたの**共通の目的は何かを思い出して、それだけに集中する**のがおすすめです。

職場でのコミュニケーションの目的は、仕事を円滑に進めてよい結果を出し、「成功」という価値を作ること。たとえば、同じ部署であれば、チームとして成果を上げること。プロジェクトメンバーであれば、目標を達成することでしょう。

その目的をきちんと意識していれば、相手とのやり取りの中でネガティブな感情が湧いても、共通の価値に向かって軌道修正できるようになります。

カップルで旅行を計画しているときも同じ。一人は海沿いのリゾート地を希望していて、もう一人は北国の温泉に行きたかったとしても、二人で休日を楽しみたいという目的は一緒です。それを思い出せば、折衷案が出てくるでしょう。

●「もう一人の自分」から、自分を客観的・メタに見る

それでもいざ、そりが合わない相手と話し始めると、カチンときたり動揺したり、時には、怒りが湧いてきたりするものです。

そんな時は、**「自分の感情を客観的に見つめ直してみる」**のがおすすめです。

自分の中にもう一人の自分がいて、会話の途中で「私は今、怒っているな」「今の言葉にショックを受けてるんだ」と自分自身の感情に気づいているようなイメージです。

その都度、フラットな状態に戻ることを意識しましょう。すると先ほどお話ししたように、感情に巻き込まれず平常心に戻れます。

「そんな器用なことはできない……」と思ったでしょうか。

でも、これは慣れの問題。私も20代のころはムッとなって言い返してしまったことも多かったのですが、今は誰かの感情に巻き込まれにくくなり、冷静に状況判断ができるようになりました。

今では、「ここで感情的になると、相手と壁ができてしまう」「今、怒りをぶつけても

うまくいかない」など、次にどんなリアクションを取るかを考えることができるようになりました。

もちろん人間ですから、胸が波立つことはあるでしょう。しかしネガティブな思いが湧いてきたら、すぐに気づいて「この感情に覆われないようにしよう」と意識するだけで、感情の揺れがかなり抑えられるようになっていきます。実践はなかなかむずかしいですが、ぜひトライしてみてくださいね。

平常心に戻れる「合言葉」を決めておく

とはいえ、瞬間的に「やっぱり無理！」「どうしても嫌い」といった思いが湧くことはあります。それは仕方ありません。

ただ、そこで自分を客観視できないと、「この人は、いつもこうだ」「また嫌味を言われた」といった思いがグルグルうずまきはじめ、相手との間に壁ができてしまいます。

ここが、コミュニケーションの大切な分かれ目。

そんなときのために、**平常心に戻れる自分なりの「合言葉」を決めておきましょう。**

マイナス感情がむくむくと湧き上がってきたら、私は、「フラット、フラット」「ニュートラル、ニュートラル」などと心の中で繰り返します。

その合言葉を繰り返しながら、相手へのレッテルをどんどん剝がし、**ネガティブに傾いた心を平常心に戻す**のです。

実際にやってみないうちは半信半疑かもしれませんが、この合言葉は強力です。何回かやるうちにコツがつかめるはずですから、イラッときたらチャンス！　合言葉を心の中で唱えましょう。

うまくいかない時があっても問題ありません。いまだに私も、つい冷たい返答をしたり話を途中で切ってしまったりして、反省する日もあります。

それでも、合言葉を唱えて平常心に戻ればいいと知っているだけで心に余裕が持てます。次第に、「今日は、結構うまくいったな」ということが増えてきますよ。

雑談は「話しやすいテーマ」で十分

普段あまり交流のない相手との雑談はむずかしいもの。

「そもそも何を話せばいいのかわからない」「何を話題にしていいかわからない」といった話もよく聞きます。「こんなことを言ってバカにされないかな」「つまらない話かも」と苦手意識を持っている人も多いのではないでしょうか。

でも実は、雑談はいくつかの「鉄板ネタ」を話題にすれば悩むことはありません。

誰もが話しやすい話題をご紹介します。

天気や天候

その日の天気や気温の変化などは共感を得られやすく、話題にしやすいテーマの最たるもの。「急に寒くなりましたね」「この暑さはいつまで続くんでしょうね」「最近、お天気がすっきりしませんね」など、その時感じていることを素直に言えば、会話のきっかけになります。

季節の植物や旬の食べ物

天候から、季節の植物や街の変化などに話題を広げるのもおすすめです。「桜が咲きはじめましたね」「もう七夕飾りが出ていました」など、身近で気づいた変化。「ベランダのミニトマトが色づいたんです」「そろそろブドウの季節ですね」など、旬の食べ物の話も無難な話題です。

交通機関や移動中の感想

「ここまでどうやって来られたんですか？」「場所はすぐわかりましたか？」など、移動手段について尋ねると、初めて会う相手やよく知らない相手とも話しやすいでしょう。ただし、住んでいる場所をくわしく知られたくない人もいるので答えがあいまいな時は深追いしないように。

「今日の○○線、とても混んでたんですよ」「今日も都心は渋滞してましたね」「通勤中にこんな人がいて……」など、通勤や移動時の様子も当たり障りのない話題です。

●ペット

相手がペットを飼っているとわかっていたら、ペットの近況を聞いたり、その動物について話したりすると場が和みます。

一方、触れると逆効果になる話題や、話す時には配慮が必要な話題は次の通りです。

- 宗教や政治の話
- プライベートの話
- お金の話
- 食事法や健康法の話
- スポーツや芸術の話

食事法や健康法は、情報交換としては互いの知識も増やせるいい話題ですが、自分のやり方を主張しすぎると、相手を否定しているように受け止められるケースもあるので要注意です。また、スポーツや芸術も、相手がまったく関心がないジャンルである可能性もあるので、配慮が必要です。

雑談はお互いの関係を円滑にするために、あくまでも楽しく和やかにするもの。相手に居心地の悪い思いをさせたり、気まずい空気を生んだりするテーマは避けるのが鉄則です。

誰も傷つけず、しかも相手との橋渡しができるのが雑談のよさ。橋渡しがうまくいけば、場の空気が和らぎ、自分を大切に、そして相手も大切にすることができます。

雑談は、その「ちょうどいい距離感」をつかむための重要なツール。相手との距離を縮めるためには、少しずつでも挑戦してみてください。

相手の〝ツボ〟に入ったサインを見逃さない

雑談をしていると、あるとき、相手のテンションが急に高くなることがあります。

たとえば、好きな芸能人の名前が出た瞬間、顔が明るくなる人。昔住んでいた街の名前が出た途端、そこの住みやすさや利便性を語りはじめる人。過去の思い出などが話題に上がった時、急に失敗談をいきいきと話しはじめる人……。目の輝きが増したり、声が一段と大きくなったり……。

そのような経験、皆さんにもあるのではないでしょうか？

結論から言うと、それは**話題が、相手の〝ツボ〟に入ったサイン**。つまり、その人にとって興味があることやもっと話したいこと、話していて嬉しいことです。

そんなサインが出たら、ぜひそこを掘り下げていきましょう。「そのお話、くわしくお聞かせいただけますか」と聞いてみてください。

「その時、とても嬉しかったのですね」などと相手の気持ちを汲んだ言葉を重ねるのも効果的です。

親しい友人であれば、「それで？」「それから？」と聞くだけで十分。P50で紹介した大・中・小の「リアクション」を使いながら質問を重ねていくとよいでしょう。

そうやって反応のよい話題を深掘りすると、「そういえば、他にもね」と本人も忘れていたことを思い出して話してくれることもあります。

誰でも、自分の気持ちが高まる話、好きな話を聞いてほしいもの。相手が相手らしくいられるようになると、「ちょうどいい距離感」に近づいていくチャンスが生まれます。

ぜひ、相手のしぐさや表情を見ながら話を深めてみてください。

●雑談が苦手でも、「知識」があれば、大丈夫

雑談のネタは「知識の数」が重要です。特に自分自身で見聞きして感じ取った一次情報は、いきいきとした「雑談力」となって話題を広げてくれます。

日頃から、ニュースやインターネット記事、新聞、週刊誌などに目を通し、アンテナを立てておくことも大切です。たとえば、インターネットで「観測史上最高の暑さ」という記事を見ていたら、「暑いですね」と言われた後に、「観測史上最高の暑さだそうですよ」と話をつなげられます。

理想は、エンタメやスポーツ、趣味、経済などあらゆる分野で、ある程度の知識を持っていること。そうすれば、相手の興味に合わせて話題を選べます。

アナウンサー時代は、「仕事に関係なく、とにかく流行しているものを見ておきなさい」「新しい店やスポットができたら足を運んで、自分自身で感じてみなさい」と言われました。映画も封切りしたら早めに見ておくのがよしとされました。

そうやって自分なりにアンテナを立て行動しているうちに、いろいろなネタがストックされるだけでなく、自分の感性が磨かれて、自信もついてくるようになりますよ。

話題を変えたいときは話を「受け止める」「要約する」

言葉を上手に使えば、会話の舵取りも可能です。

雑談をしていると、話があちこちに行ってしまうことがよくあります。本来、そういった寄り道もコミュニケーションの大事なスパイスになるものですが、あまりに自分に興味のない話題だったり、長時間続いたりして自分がしんどくなってくると、それは「ちょうどいい」とは言えません。軌道修正が必要です。

アナウンサーは、限られた時間で話を聞かなければいけない仕事。そんな時に会話の流れをサッと変えるリアクションの秘策をご紹介しましょう。

それは、**話題を変えたいときは、「いったん相手の話を受け止める」**。

具体的には、「ありがとうございます」「とても参考になりました」「お話よくわかりました」など、会話の終わりに使う言葉をあいづちに使うことで、**「自然な形で話の区切りをつける」**のです。

そして「では、そろそろ本題に……」「さて、○○に関してですが……」と話題を変えてみてください。相手が「あ、この話はこれで終わるんだな」と感じてくれれば、自然に次の会話に移れるでしょう。

たとえば、おいしいレストランの情報を教えてもらっているとしたら、「今度、そのお店に行ってみたいと思います」、大好きな本について熱心に語っているなら「面白そうな本のご紹介、ありがとうございました」などとまず受け止めます。

そしてその後、「話は変わりますが」「もう一つ、お伺いしたいことがあるのですが」「そういえば、ちょっとお聞きしたかったんですけど」などと本来の話題へとつなげるのです。

いったん受け止めるだけで、話題を無理やり変えるよりも、随分トゲがなくなったと思いませんか？

他にも、**まずは受け止めた後に、別の質問をする**のもアリです。「○○については、どう思われますか」「○○の件はどうでしょう」などと質問するとスムーズに次の話題に移ることができます。

友人とのおしゃべりでは、終わりにしたい話題を「○○だったのね」と受け止め、「ところで、最近○○はどうなの？」などと話題を転換する。会議や打ち合わせでは、「それでは、先ほどの本題に戻りますと…」「○○については一度持ち帰り、議題を進めましょう」と率直に言うとスマートです。

同じように「**それまでの会話を要約する**」のも効果的です。

たとえば、「今おっしゃったのは、○○○ということですね」「○○○が大事だとよくわかりました」と、相手の言ったことを自分なりの言葉に置き換えてまとめると、相手は「あ、私の話は伝わったんだな」と思ってくれます。もし内容がズレていたとしても、その時点で相手とすり合わせることができ、正しく感情のやり取り・情報の交換ができます。

どちらにしても相手の自分に対する信頼が深まり、より自然に次の話題へ展開していくことができるのです。

相手にも同じように意見・事情がある

「この人とはどうも、そりが合わない」「いつも、意見がぶつかってしまう」

こんな相手は残念ながら誰にでもいるものです。距離を置くことができる関係であればいいのですが、職場や同じクラスのママ友など、日々お付き合いする人となればそうもいきません。

逆に言えば、苦手な人や嫌いな人とぶつからず話せるようになれれば、ストレスがグッと減りますし、その場所でより自由に振る舞うことができるようになります。

テレビ局勤務時代、特に管理職になって部下や他部署との交渉は試行錯誤の連続でした。当然、意見が衝突したり、議論がかみ合わなかったりすることもしばしば。

しかしあれこれとトライしているうち、次第に、自分の主張だけを通そうとするのではなく、相手の意向も尊重することが必要だと気づきました。なるべく調和が取れた状態で、自然にお互いの意見が融合するポイントを目指す。当たり前に聞こえるかもしれませんが、そんなアプローチが最もうまくいく方法でした。

自分には自分の意見や事情がありますが、**相手にも同様に相手の意見や事情があります**。それを理解した上で、自分と相手の「ちょうどいい」ポイントを探っていくのが、大人のコミュニケーション術です。

感情的にならないために「受けとめて」から伝える

相手と調和しながら自分の主張も受け入れてもらい、よりよい結果を出すにはどうしたらいいでしょうか。

まず心に留めておきたいのは、**感情的になってしまって険悪なムードを作らないようにする**こと。会話の進め方やあいづちなどを工夫してピリピリしそうになる空気を変え、相手と心を開いて対話する土壌を作りましょう。そして、心がけたいのは「受け止めて」から伝えるという二段階を踏むことです。

1　いったんは話を受け止めたことを示す

議論が白熱すると「売り言葉に買い言葉」ですぐ反論しがちですが、「言い返さなきゃ」と応戦してはいけません。頭から否定すると、相手との間に「見えない壁」ができてしまいます。

そんな時こそ、**話し始める前に必ず一呼吸置きましょう**。いったん「間」を取ると高ぶった感情がクールダウンし、冷静に受け答えできます。

相手の話は、基本的に「そうですか」「はい」と受け止めます。これなら、相手の主張に同意していなくても、「あなたの考えが、その通りだということは理解しました」というウソのない言葉遣いができるのでおすすめです。

相手の言葉を受け止めた後は、先入観や感情を抜きにして、**「この人の意見をニュートラルな立場で聞いてみよう」**と考えてみましょう。

その作業に抵抗がある時は、「目的のために、相手のありのままの言葉に耳を傾けよう」と考えると、フラットな視点で相手の意見を捉えられます。

もちろん肯定まではできないかもしれません。しかし、相手の主張の奥には「動機」や「原因」が必ずあります。それは何なのだろうと想像してみましょう。

すると、「この人の立場ならそう思うだろうな」「なるほど仕方ない」と思える部分が見えてくるはずです。

想像力を働かせてもわからない場合は、「そうおっしゃる理由は何でしょうか」と率直に尋ねてみてもいいでしょう。あくまでも、フラットな気持ちで聞いてみるのが、相手の感情を逆なでせずに話し合いを進めるコツです。

2 相手に共感し、「自分はこう思っている」＝アイメッセージを伝える

相手の主張を受け止め、自分なりに分析したあとは、アイメッセージで自分の考えを伝えます。**「○○さんのお考えはわかりました。私は○○と思っています」と「私」を主語にして話す**のです。

この時、「これは私の経験なんですが、○○といったことがあって……」と、自分の経験談を入れられると説得力が増すでしょう。

それを、「あなたは○○だと思っているのですね」と、相手を主語にすると、たとえ穏やかに語ったとしても、意見が対立しているときには、相手はあなたに責められているという気持ちになってしまうものです。

アイメッセージで自分の考えを伝えた後、議論が続いてもＯＫ。両者の間に架け橋がかかっていれば、お互いの意見やアイデアを認め合って、議論が建設的な方向に発展し

ていくはずです。

どうしても通したい企画やイエスと言わせたいときほど、力んで話しがちです。しかし相手は、少々暑苦しいと感じて逆効果になることも。

熱意を伝えること自体は必要不可欠ですが、**伝えるべきは「相手にどんなメリットがあるのか」「共通の目的にどれくらい貢献できるか」**です。

たとえば、社内会議であれば、自分の考えがどれだけ部署や会社に利益をもたらすか。データや社会背景も合わせて伝えると説得力が増すでしょう。

●ゆっくりとしたあいづちを打つと落ち着ける

なかなか合意できない場合は、両者が納得いく落とし所を見出すまで粘りましょう。

そんな高度な技なんて無理と思うかもしれませんが、自分がどうしても「そうだ！」と思うときには、そのことを正直に伝えたほうがいいのです。

笑顔でうなずきながらも引き下がらず、丁寧に思いを伝える。でも、相手との意見交換を遮断しない。

　これが「自分と相手の両方を大切にする」ちょうどいい話し方です。

　あくまでも温和な態度で相手に脅威を与えないよう配慮しつつ、同意はしない。この姿勢で粘るのです。

　私はよく、「そうですね……」「そうですか……」と語尾を伸ばして、あいづちを打ちながらも肯定していないことを伝えるようにしていました。

　この時、「ねぇ……」「かぁ……」と納得してはいないというニュアンスを正直に含ませるのがポイントです。また、「そうですか」は、相手の意見を否定していることにはなりません。相手にも、こちらの話を聞こうという姿勢が生まれてくるはずです。

　ゆっくり応対していると、自分の心も落ち着き、次になんと言おうか考える時間ができるというメリットもあります。相手のほうから打開策が出てくることもあります。

　また、相手もこちらに合わせてスローペースで話すようになり、激論になるのを防ぐ効果もあり、この作戦には一石何鳥ものメリットがあったのです。

他にも、このようなあいづちが効果的です。

- 「そうですか……。（ですが、○○といった状況があるんです）」
- 「わかりました。そういうお考えなのですね……。（でも、○○については何とかならないでしょうか）」
- 「確かに、そうですね……。お言葉の通りです。（では、○○はどうでしょう）」
- 「本当におっしゃる通りですよね……。（ただ、○○の面が気になります）」
- 「あぁ……、そういう考え方もありますね。（逆に、○○という意見もありますよね）」
- 「そんなふうにとられたのですね……。（しかし、○○とは違って○○なんです）」

● イヤなことを言われたら、「明るく切り返す」ほうが効果的

たとえば、誰かが新しい服を着ていると「その色、似合ってないんじゃない？」と言ったり、久しぶりに会った人に「また太ったんじゃないの？」と声をかけたり……。

あなたの周りに、「何かと当たりがきつい人」や「いつも一言多い人」はいませんか？

そういったシーンに遭遇したら「えぇ!?　そんなこと、言っちゃうんですかぁ」「わぁ、そこまで言うんだ!?」とにこやかに言ってみましょう。

もし自分が言われたら、「へぇ、そんなふうに見えるんですね」「あ、私はこの色が気に入ってるんです」と明るく切り返します。

こんな一言が言えると、会話の流れが変わります。いずれも笑顔でサラッと言うのがポイントです。

第3章

人前で ちょうどよく話すコツ

自分の意見をちょうどよく伝えれば、人の心を動かせる

「ちょうどいい話し方」は身の回りの人を大切にする話し方ですが、社会人として、会議やプレゼンテーションなどで、人前で話す機会からはなかなか逃れられません。ときには、結婚式のスピーチなど、大勢の注目を浴びながら話すシチュエーションに遭遇することもあるでしょう。

しかし、このときでも「ちょうどいい会話の基本」を意識していれば、大丈夫。**「自分と相手の両方を大切にする」という基本はいつも同じ**です。

ただ、そうは言っても自分に視線が集まると、人は多かれ少なかれ緊張します。その緊張を楽しんで力に変えられる人もいれば、ガチガチに固まって実力を発揮できない人

もいます。私自身、「なるべくなら人前に立ちたくない」と思っていたので、その気持ちはよくわかります。

でも、ポイントさえ押さえれば、どんな人でも落ち着いて実力を出せます。自分の個性を活かしつつ、説得力のある「ちょうどいい話し方」ができるようになるのです。

「プレゼンの機会はなかなかないな……」という人も多いかもしれませんが、「人前で話す時」の準備を勉強しておけば、**「自分の意見を伝えたい」すべてのシチュエーションに応用することができます。**

第3章では「人前で話す時」に焦点を当て、「**あなたの言いたいことがちょうどよく伝わり、かつ聞き手の心を動かす**」ちょうどいい話し方についてお伝えしていきます。

「人前で話す時」は、「これだけメッセージ」を決めよう

「人前で話す時」の成功のカギは「**話す前の準備**」です。

おおまかに準備をして、あとはぶっつけ本番で話したほうがうまくいくという人もまれにいらっしゃいますが、それは特別な人。「人前で話す時」は準備に時間をかけることで、うまく相手に伝わる話し方に様変わりします。

1 「これだけメッセージ」を決める

準備でまず大事なのは、第1章のP59でお話しした「ちょうどいい会話の基本6」の「**これだけメッセージ**」を明確にしましょう。

「聞き手が最も望んでいること・困っていることは何だろう？」「私が相手に伝えたいことの核は何だろう？」などと、自問自答を繰り返しながら中心テーマを見つけます。

たとえばプレゼンであれば、目的は「**相手の考えや行動に何らかの変化を与えること**」です。そのために、聞き手のメリットを、自分の考えや体験を通じて伝えるのです。プレゼン以外の「人前で話す時」でも同じように、場に応じたさまざまな目的があります。

その目的に沿った「これだけメッセージ」を決めることから準備は始まります。

2 情報・実体験を探す

次に、「これだけメッセージ」を伝えるために効果的な情報や実体験を集めます。

素材は多いほどよいでしょう。過去を思い返したり、本や動画で出会った先人や専門家の言葉を引用したり、自分のメモを見直すなどして、関連のある素材を並べていきます。

私は普段から、心に響いた言葉や情報を、なるべくメモするようにしています。書いておかないと、日常生活と一緒に流れていってしまうからです。その「素敵な言葉集・アイデア集」をパラパラとめくって、目的に合う内容をピックアップしていくのです。

3 構成を組み立てる

そして集めた情報を、聞き手が興味を持って話に集中できるように取捨選択して、構成を組み立てるのが次の段階です。

ここでは「**これだけメッセージに必要な情報は何か」を意識して、それ以外は、思い切って断捨離する**ことがポイントです。

「いい話なのに」と思っても、アレもコレも盛りだくさんだと聞き手がお腹いっぱいになり、最も伝えたい「これだけメッセージ」が伝わらなくなってしまうからです。

「人前で話す時」は３つの型のどれかでＯＫ

自分の伝えたいことを、相手にわかりやすく、かつ説得力を持って伝わるようにするには、素材の並べ方＝話の順番が重要になります。

そこで、知っておくと便利な構成と型をご紹介します。

まず、プレゼンは、「オープニング」「本論」「クロージング」の３つの部分で構成することが原則です。

取捨選択した素材を、３つの型のテンプレートに当てはめていきます。

「本論」はプレゼンの一番大切な内容部分ですから、最初に考えます。そして、「オープニング」と「クロージング」は、本論の内容がより魅力的で印象に残るにはどうしたら良いかを考えて作成します。

それでは、プレゼンで最初に考える「本論」の3つの型からお伝えしましょう。

1 スマートにメッセージを伝えられる「結論・理由型」

結論から先に話し、後からその根拠や理由を説明するのが「結論・理由型」。

メッセージが明確に伝わるので、「わかりやすい話ができる人」という印象を与えられます。

まず結論をしっかり伝え、その理由を具体例や体験談を交えながら説明するとイメージがグッと強まり、聞き手の記憶に残るのです。「結論→理由→具体例・体験談」といった流れはわかりやすく説得力があると覚えておいてください。

プレゼンだけでなく、短時間で自分をアピールしなければならない面接、忙しい上司との打ち合わせ、名刺交換などの場面にも向いています。

例）「あなたの好きな色は何ですか？」と聞かれた場合

「私の好きな色は水色です（結論）。

水色は明るく爽やかな色だからです（理由）。

特に、晴れ渡った真っ青な空は、心も体も晴れ晴れとしてくれます。（具体例）

以前〇〇で見た空の青さは、今でも脳裏に焼き付いています（体験談）」

たった20秒ほどのこの答えから、その人の「人となり」を垣間見ることができます。お互いの話もさらに発展していくことでしょう。面接試験前の学生には、この基本パターンをマスターしてもらっています。

❷ 情報を整理して伝えられる「列挙型」

「ポイントは３つあります。１つめは……。２つめは……」など、いくつもある情報を優先順位の高い順に整理するのが列挙型。皆さんもお馴染みかもしれませんね。

「話す」という音声表現は、音がその場で消えていく特性があります。そのため、人の記憶に定着しにくい面があります。

しかし、列挙型は「メリットは３つ」「原因は２つ」と言うことで、聞き手の注意をそのポイントに向けさせたり、複数の情報を整理して伝えられたりする効果があります。

さらには、話し手にとっても、内容を記憶しやすいのが「列挙型」です。面接の一問一答よりも長く一つのテーマについて語る時、商品やサービスを説明する時、会社説明会の際などに向いています。

③ 感情に訴えて記憶に残せる「ストーリー型」

「ストーリー型」は、文字通り話の内容を「物語」にして伝える方法です。ストーリー型のメリットは、聞き手に喜怒哀楽の感情やイメージを抱かせるため、記憶に残りやすく、共感を引き出しやすくなる点です。幼いころに聞いた「昔話」をいまだに覚えているのもストーリーの力です。

ここでは、最もわかりやすく、誰でも使えるパターンをお伝えします。

それは、**ある状況が、一つの出来事をきっかけにして、最終的にどう変化したのかというドラマを伝えるもの**です。化粧品などを使用した、ビフォーとアフターの変化にもよく使われていますね。

たとえば、このような流れです。

（ビフォー）苦労や困難に直面している状況説明。
（きっかけ）その時ある出来事が起こる。
（アフター）それによって状況が変化する。

童話「シンデレラ」の話も同じパターンですね。義母や姉妹から虐（しいた）げられ悲しみに暮れていたシンデレラのところに突然魔法使いが現れ、舞踏会に出かける。そこで誰よりも輝いていたシンデレラが王子様に見そめられて結婚する――このストーリーも、ビフォー、きっかけの出来事、アフターの流れで組み立てられています。

ビジネスでたとえるなら、商品開発の秘話を伝える時に、「チーム全体がギリギリの状況に置かれて『もうダメかもしれない』と思った時に、救世主のような人や出来事が出現、状況が好転してハッピーエンドに終わる」というのが、一つのストーリー型の使い方です。

ハッピーエンドと逆パターンも、ストーリーとして使えます。

（ビフォー）あるよい状況があった。
（きっかけ）その時、出来事や人物が出現。
（アフター）その結果、最悪の事態になってしまった。

これも、聞き手の心をハラハラさせる効果があります。社員を発奮させるために、会社の幹部が、芳しくない経営状況を伝えるときなどにも使えます。

私が担当する大学の講義では、集大成の試験でこのストーリー型を使って「自分の物語」をクラス全員の前でスピーチをしてもらっています。

これまでの20年ほどの人生で、一人の学生が一生懸命生きてきたドラマの数々が語られ、聞いている学生も、普段知り得なかった友達の一面に触れて心を動かされるのです(私も思わず引き込まれて、評定することを忘れそうになるほどです)。ストーリーの力を実感する瞬間です。

ストーリー型で話すと映像が目に浮かび、まるで聞き手もそこにいるような臨場感やワクワク感を味わえます。特に、ドキドキハラハラする成功談や失敗談、感動する成長物語などを入れると、感情をアップダウンさせて刺激するので聞き手の心に響く話ができるでしょう。

悩みや課題の解決法、目標に近づく方法などをストーリー型で紹介すると、「私もやってみたい」という感情が動き、聞き手が行動に移しやすくなります。

ですから、熟練の講演家やプレゼンの達人になればなるほど、このストーリー型で話す技術を磨いています。

普段の会話でもこの型を使って話せば、相手の興味を引きながら自分の考えや経験を伝えられるようになります。

この３つの型は、どれか一つしか使えないというわけではありません。「結論・理由型」を基本にして、理由を説明するとき、体験談を「ストーリー型」で相手の感情に訴えるように伝えれば、より印象に残る話になるのです。

日常のさまざまな場面で３つの型を使いこなして、感覚を磨いていってください。

ここまでで話したい内容の本論＝中身が決めたら、次のページから、自分の伝えたいことを聞き手により効果的に伝える「オープニング」と「クロージング」を考えていきましょう。

「聞き手と心でつながる」オープニングで好印象に

オープニングは、「聞き手とつながる」のが目的です。

いわゆる「つかみ」と言われるもの。聞き手に「これから面白い話が聞けそうだ」「もっとこの人の話を聞いてみたい」と思ってもらえるのが理想ですね。初対面の人と会った時の「第一印象」に当たる部分ですから、できればキャッチーな言葉で作りたいところです。

私が毎年母校の小学校で行っている「ことばの授業」では必ず、「今日は皆さんに会えることが心から楽しみでした。どうしてだと思いますか？」と始めるようにしています。

そこで答えを口々に話す子どもたちに「実は私もこの小学校の卒業生だからです！」と伝えるのです。すると、一斉に「え〜っ!!」とリアクションが返ってきて、一気に心の架け橋がかかります。これがオープニングの役割です。
この他のオープニングの例は次のようになります。

❶ 話を聞いた後の「未来予想図」をイメージできる一言を入れる

「講演が終わった後には、話し方について誰かに教えてあげたくなるほど、スピーチのコツが身についているはずです」
「今日は、誰でも人前で緊張せずに話せるようになる技術をお教えします」

❷ 聞き手との共通点を話して親近感を持ってもらう

「今日は皆さんと同じ働く女性の先輩として、お役に立つ情報をお伝えしましょう」
「御社の製品を子どもの頃から愛用していたので、今日はこの場に立てて嬉しいです」

❸ あえてマイナスのイメージを伝え、注意を喚起する

「今日話すことは全部、試験に出るからきちんと聞くように」
「この情報を知らなければ、時代に乗り遅れます」
「この保険に入っておかないと10年後に後悔します」
※人の恐怖心に訴えるので強力ですが、あまり多用しないほうがいいでしょう。

クロージングは「これだけメッセージ」で余韻を残す

オープニングと同じくらい力を注ぎたいのが、クロージングです。

どんなに一生懸命聞いていても終わりが近づくと、聞き手は最初のほうはどんな内容だったのかを意外と忘れているものです。ですから、クロージングは伝えたいメッセージを印象づけて聞き手にメッセージを渡す最後のチャンスだと捉えましょう。

クロージングは、**「これだけメッセージ」を聞き手の心に染み込ませるのが目的**。あなたの発表の総まとめをする重要な部分でもあります。商品やサービスの販売であれば、購入者に買うという行動を起こさせられるかどうかを決定づける部分。営業では、クロージングがなければ成約しないので非常に重要です。何かを学ぶ講演であれば、本論に共感した聞き手を「自分も挑戦してみよう！」と前向きな気持ちにすることができる部分です。

聞き手の心に訴えるような一言を添えられたとき、その余韻が、あなたの話が終了した後も聞き手の心に残ります。

話の最終段階で今一度「これだけメッセージ」を念押しできると、印象に強く残りますよ。

●話のおさらいをすると共感が生まれる

一生懸命考えてオープニングとクロージングを作ったら、話す前に声に出して練習し、準備万端にしておきます。

その準備が自信を持ったパフォーマンスにつながり、強いインパクトを与えて相手の変化を促します。また、最初と最後が完璧なら途中が少し危うくても、聞き手は「いい話だった」「感動的なスピーチだった」という印象を持つものです。

ちなみに、最もシンプルなクロージングは、「今日お伝えしたかったポイントは３つです」などと大事な部分を繰り返して、もうひと押しする方法です。授業、講座、社内の情報共有など、情報伝達がメインの目的である際、力を発揮します。

もし、もっと強く相手に伝えたい場合（たとえば、聞き手にある考えを訴えたいとき、行動変容を起こしたいとき）などは、より印象に残るクロージングの言葉を考えましょう。名言や自分の信条などを引用するのも一手です。

大切なのは、聞き手の「心」に訴える言葉で締めることです。

「ちょうどいい会話の基本1」でご紹介した「大事なのはテクニックより感情のやり取り」にもあるように、聞き手の心に共鳴を起こせれば、その余韻で相手に何らかの変化を与えることができるのです。


ただ、クロージングでは、柔軟性やアドリブ力も大切です。

聞き手の反応がよかった部分や関心がありそうな部分を絡めたおさらいをするのもいいでしょう。

持ち時間の長さにもよりますが、それまでの会場の雰囲気を見て判断する方法です。慣れないうちはむずかしいですが、アドリブが入れられると聞き手との共感が強まり、メッセージがより伝わりやすくなります。

聞き手に届くのは、「小学生にもわかる言葉」

「原稿は一言一句書いて、暗記したほうがいいのかどうか」

皆さんも一度は悩んだことがあるのではないでしょうか。

理想はやはり、「メモ程度」で話せることだと私は考えています。原稿を暗記していると、どこか棒読みになって感情が伝わりづらいものです。また、途中で順番が狂うとその場に応じた対応ができず、取り返しがつかなくなってしまいます。

ただ、作成した原稿を繰り返し練習して、まるで最初から原稿がなかったかのようにスムーズに語れるようになっておくに越したことはありません。

そうすれば、本番で緊張が加わっても大きく失敗することはなくなります。

この原稿作成で大事なのは、**必ず「話し言葉」で書く**こと。

本やメールなどの「書き言葉」は、一度で意味がわからなければ何度も読み返せますが、話し言葉は、聞いたらその場で消えて流れていきます。

ですから、意味が取りにくい言葉を使うと、聞き手は「この意味は何だろう？」「どういうことだろう？」と考えはじめ、話し手の次の言葉が耳に入らなくなってしまいます。せっかくの話を聞いてもらえないのはもったいないですよね。

いつも話している言葉、つまり「一度で聞き取れて、意味を理解しやすい言葉」で書くのが、自分と相手にふさわしい「ちょうどいい話し方」だと言えるでしょう。

言葉選びの基準は**「小学生にもスッと意味が伝わる言葉」**です。

話の内容によっては、専門用語が混じるのは構いません。しかし思いを１００％伝えたいなら、最優先すべきはわかりやすさ。

具体的には、次のことを意識しましょう。

1 一文は50文字以内に収める

一度で聞き取りやすく意味が取れる文の長さは限られています。長文になるとポイントがぼやけて、聞き手が混乱しやすくなってしまいます。

書き言葉より、短い文章を重ねることを意識してください。

一文は長くても50文字以内に収めましょう。

2 熟語やむずかしい言葉は、平易な言葉に置き換える

熟語は便利ですが、聞き手に負荷がかかります。

短い語数で特定の概念を伝えられる点はいいのですが、難しい言葉だと、意味を考えることに集中してしまって、聞き手の注意がそれてしまう可能性が高くなります。できるだけ、別のやさしい言葉に言い換えましょう。

たとえば「行動変容」という言葉を使うときは、聞き手の頭に漢字が浮かぶまでの時間を考えて、ゆっくりと大きく発音する必要があります。また話し手の滑舌も明瞭でないと、なかなか伝わりません。

ここで言葉を言い換えて、「行動を変える」「行動が変わる」などの話し言葉にすれば、意識せずに発音しても聞き手はすんなりと理解することができます。

こうして出来上がった原稿は、文字だけを追うと、一見、小学生の作文のように見え

るかもしれません。しかし、**耳から入るとちょうどいい具合に聞き取りやすく、印象に残る**内容になります。意外とそういうものなのです。

一文を短くすると、話し手も流れをつかみやすく、負担を減らせるメリットもあります。原稿を仕上げる時点で、再度「話し言葉で、短く」の2点をチェックしましょう。

苦手な言い回しを省いて「重荷」を軽くする

原稿を推敲する時は、**必ず声に出して読みましょう。**

黙読では問題なくても、読んでみるとなぜか詰まったり、言いにくかったりする言葉や言い回しがあるものです。

たとえば、「あたたかかった（暖かった）」という言葉は、きれいに発音するのは意外とむずかしい言葉です。特に、序盤のまだ緊張している時に、「今朝は、暖かかったため、……」という文言があったら、それだけでプレッシャーですね。

ですから、「これは言いづらいな」と思う言葉は、別の言葉に変えておきましょう。

たとえば「暖かいこと」を伝えたいのであれば、「寒さがゆるんで」「春も近づいて」などの表現に変えても意味は同じです。

原稿を自分の言いやすい言葉に変えておくだけで、気持ちの重荷が減ります。本番で成功する確率も高まります。

ちなみにアナウンサーが放送で話す際には、原則「ジュ」がつく言葉は「ジ」か、「ジュとジの間の音」に言い換えてもよいとされています。この音は、強く発音すると発声しづらいだけでなく、耳障りな音になりやすいからです。

たとえば、「手術→シジツ」「美術→ビジツ」「技術→ギジツ」と発音します。

また、数字の「十」も「ジュウ」でも「ジ」でもよいとされ、「10兆」は、「ジュッチョウ」と無理して言わず、「ジッチョウ」とサラリと発音しています。

現場に持ち込む「原稿のサイズ」はＡ４ ２つ折りに

自分自身も話しやすく、しかもスマートな印象を与えるために、原稿のサイズや持ち方も工夫しましょう。私自身は、こんなポイントを意識しています。

・Ａ４用紙を二つ折り（Ａ５）か四つ折り（Ａ６）にしたサイズで原稿を作り、なるべく存在感のない大きさにする。
・原稿は、みぞおちの下あたりに片手で持つ。（Ａ４サイズの場合でも同じ）
・パワーポイントを使用する際は、手元の原稿には、その内容を補足する情報を書き、必要に応じて読む。（例…内容にまつわるエピソードや関連情報、出典、名言など）

Ａ５サイズ以下の原稿をみぞおちの下あたりで持つと、見た目もスッキリし、ひと目で内容がわかるので便利です。

●「はじめ」と「終わり」がよければすべてよし！

本番で成功するには何が必要か。一にも二にも、練習です。

特に、**最も緊張する出だしは何度も練習しましょう**。

「はじめよければ終わりよし」ということわざがありますが、軽快にスタートできれば、後はその流れに乗って話せばいいだけです。

たとえ途中で言葉がつかえても、出だしがうまくいっていれば「ちょっと緊張しています」と場を和ませて元のペースに戻れます。

しかし最初につまずくと、「失敗した！」という気持ちを引きずって、その後しどろもどろになる可能性が高くなってしまいます。また、テンションが下がり、全体的に暗いトーンになりがちです。

ですから、とにかく最初の2、3フレーズは「これで完璧」と思えるまで練習しましょう。

私自身も司会や講演をする際には、開始直前まで何度も出だし部分をブツブツつぶやいています。「出だしはバッチリ！」という安心感がよいパフォーマンスにつながるのを実感しています。

本番までは、体に染み込むまで何度も原稿を読み上げ、不安材料をなくしていきます。

自分の声を聞きながら練習すると客観性が生まれ、声の響きや感情の乗せ方をどう改善すればいいかが、より的確にわかるでしょう。また、声に出すと、言いにくい言葉や言い回しもわかるので、原稿を推敲して読みやすくしていきましょう。

いつもは三日坊主で終わりがちな人も、本番という目標があれば続けられますね。

本番の直前は周りの人に話しかけよう

原稿が完成し、いよいよ本番。ここで重要なのは、本番前の過ごし方です。直前に何をするかで、パフォーマンスがまったく変わってきます。

テレビ局時代、私がニュースの本番直前にやっていたのは次の3つです。

- 緊張で体が硬くならないよう簡単なストレッチをする
- ウォーミングアップとして、軽く発声や滑舌の練習をする
- パートナーがいる時は雑談しながら、時には冗談を言って笑顔でいる

原稿とにらめっこして、ガチガチになって何度も必死に復唱しているようなイメージ

とは真逆かもしれませんね。
これは緊張をほぐし、ベストパフォーマンスを出すための工夫でした。
もちろん細かな打ち合わせもしますが、必ずこれらの３つはするようにしていました。

毎日の仕事だから慣れているとはいえ、生放送前はどうしても緊張します。すると、気持ちがカタくなっているのに加えて、物理的に**身体の筋肉が硬くなったり呼吸が浅くなったりしている**のです。
特に、口まわりの筋肉がこわばると滑舌が悪くなり声も響きません。さらには、せっかくの笑顔もぎこちなくなります。しかも呼吸が浅いと息継ぎの回数が増え、途切れ途切れにしか読めなくなってしまう……など、要するにベストパフォーマンスが出せなくなるのです！

●自分なりの方法で、ちょうどいい緊張感をキープする

アナウンサーはみんな、ちょうどいい緊張感をキープするための自分なりの方法を

持っています。
ですから生放送前は、「アアア」と軽く発声練習をしたり、肩を動かしたり……。パートナーがいる時は、雑談で緊張をほぐしながら準備していたわけです。

雑談は放送に関係ない身近なことや天気の話など、冗談交じりの他愛もないことです。

会議やミーティング、プレゼンなど「人前で話す直前」は緊張感が高まるタイミング。身体をほぐすと同時に、雑談の力を使ってリラックスを心がけましょう。

同席するメンバーと言葉を二言三言、笑顔で交わすだけでも、緊張がゆるんで心が落ち着くでしょう。

そして、**緊張するのは当たり前**。決して悪いことではありません。

場数を踏めば踏むほど人前で話すのが上手になり、自信がつきます。「何事も経験だから、少しくらい失敗してもいい」と開き直ることも大切です。

自分の限界を突破して、いいパフォーマンスが出せるのは、適度な緊張感を持っている時です。緊張も、味方につけていきましょう。

第一声を大きめにして注目を集める

本番では、必要以上に明るく振る舞う必要はありませんが、第一印象は大事。普段の自分よりやや高めのテンションで臨むのが成功の秘訣です。

いざ、壇上に向かう瞬間、発言のために席を立つ瞬間。あなたは、その時点から見られています。

本番は話す前から始まっていると考え、背筋を伸ばし、「やる気や喜びにあふれた人になる」くらいの気持ちで人前に立ちましょう。テンションが高すぎるのも考えものですが、明るい話し方や雰囲気が嫌いな人はいません。

普段は物静かなタイプに親近感を持つという人も、司会やスピーチをするのであれば、快活な人に好感を持つものです。

伏し目がちにボソボソと話す人よりも、笑顔ではつらつと話す人のほうが、好印象を感じやすいですよね。**「少しだけ元気で明るい自分」**を演じる俳優になったつもりで話すといいでしょう。

その他、服装や身だしなみにも気配りは欠かせません。

アナウンサー養成講座では、カメラテストに臨む際には「明るく元気に爽やかに」を心がけるよう指導しています。

「爽やか」とは、別の言葉で言えば「清潔感」のこと。

「ヘアスタイルを整える」「襟元や裾の先まで細部にも意識を配り、きちんとした着こなしをする」「背骨をシャキッと立てる」など、すっきりした外見でいることを心がけてください。

●第一声は、笑顔でテンション高く

本番が始まった時、肝心なのは「第一声」です。

最初の声が低かったり小さかったりすると、注目を集められません。

また、日本語は、高い音から、文末に向かって自然に音が下がっていく性質がある言語。最初に低い声で話しはじめるとどんどん声の音程が下がり、全体的に暗い印象になってしまいます。さらにボソボソと話しはじめると、「この人、大丈夫かな？」と懸念され、話の内容まで説得力がなくなります。

ですから、「皆さん、こんにちは！」「では、○○の企画についてご説明します」「今日はお集まりいただき、ありがとうございます」など、全体に語りかけるような大きめの声で話し始めましょう。

普段の声より、やや高めの声で話し始めれば「明るく元気」な雰囲気を作れます。スタート時は特に緊張するので、深い呼吸を意識しましょう。そうすれば、むやみに舞い上がることなく自然な笑顔で話し始められます。

マイクがあれば、日頃話している声量で構いません。マイクがなければ、会場の一番後ろの人に届く音量を意識するのがコツです。ただし、時には手前の人にも視線を向け、会場全体を意識することが大事です。

第一声の「第一音」だけ高い音を出す

それでもただでさえ緊張する人前で、大きめの声を出すのは勇気がいりますね。
そんな時に役立つコツをお教えしましょう。
たとえば、「こんにちは」の「こ」だけ、少し高めの大きな声を出すよう意識します。
あとは自然に話せば、その第一声に合わせて高い音が出てきます。

本番までに気持ちを高揚させておくと、「いつもより、少しだけ元気に明るく」を表現しやすくなります。笑顔を作ったり、体を動かしたり、速めに歩いたり、また「大丈夫！」「うまくいく！」など自分を励ますおまじないの言葉を言ったりするのも、気分が上がっていいでしょう。

ただし、力みすぎて呼吸が浅くなったり体がこわばったりするのはよくないので、深くゆっくりした呼吸とリラックスを心がけます。

明るさが大事といっても、いつもの自分とかけ離れた振る舞いは必要ありません。

普段は静かなタイプだという人は笑顔を心がけて、いつもより少しだけ声を遠くに出すようにしゃべりましょう。

自分の個性や持ち味から、半歩だけ出てみる。そう意識するだけで自分らしさに明るさが加わり、好印象を与えられるでしょう。

自分の安全地帯から半歩出られるようになるために、普段からちょっとした工夫をしておくと度胸がついてきます。

いつもなら軽い会釈で終わりにしているご近所の人やお店の人などに、こちらから笑顔で何か一言、話しかけるのです。やってみると意外と勇気のいることですが、コミュニケーションの上達には効果があります。

私は、犬の散歩で初めて出会う方には、必ず犬の名前や年を聞き、さらに半歩出るために、街角の警察官に「こんにちは」と私から挨拶をすることもあります。「こんにちは」と返してもらえると、ホッとした気持ちになります。

話すときはNとZのアイコンタクトを意識する

人前で話すときは、会場の一人一人に「自分に話しかけているのだ」と思ってもらう必要があります。会場に何人いたとしても、この原則は同じです。

そんなとき、メッセージを確実に届けるために大切なのが「アイコンタクト」です。

会場の端から端まで、「Nの字」や「Zの形」にゆっくり視線を動かしながら話すと、聞き手は自分たちを見てくれていると感じます。

Zの場合……最後列の左端から右端に向かってゆっくりと視線を移動させる↓右端から対角線上に左最前列まで移動させる↓最前列の左端から右端までゆっくりと視線を移動させる。

Nの場合……左端の列の一番前から一番後ろまでを見る↓対角線上に右端の最前列まで視線を移動させる↓右端の一番前からその列の一番後ろまでを見る。


いつも同じ方向に視線を動かすのではなく、NとZを交互にしたり、時には、逆の端から視線を動かしはじめたりすると、自然な感じで会場全体を見渡せるでしょう。

また、目が合う人がいれば、しばらくその人に視線を合わせて話すのも、自分たちに話しているのだと会場全体に感じさせるテクニックです。

●「まずい！」と思ったときの5つのリカバリー法

「順調に話し始めたのに、途中でトチってボロボロになった」

「話しているうちに早口になり、持ち時間が余ってしまった」

「だんだん声が小さくなり、あとでよく聞こえなかったと言われた」

こんなふうにアクシデントがあったり、急に緊張感が湧いてきたりして、うまく話せなくなることは誰にでもあります。

でもこんな不測の事態が起きても大丈夫。気づいた時点で切り替えてメッセージさえしっかり伝えられたら、最終的にスピーチは成功です。

「まずい！」と思ったら、次の方法で立て直しましょう。

❶ 文章をいったん切って「間」を取る

ペースが速いと気づいた時点で文章を切って、いったん呼吸をしましょう。一文の終わりであえて一呼吸置き、**「間」を取ってから次の文を話し始める**のです。

私もアナウンサー時代にニュースを読む際に、この方法をよく使っていました。いったん意識的に流れを切ることで、本来のペースに戻れます。

❷ 接続詞を入れて、リズムを変える

次の話題に行く時に一呼吸置き、「さて」「それでは」「ところで」などの接続詞を入れると、ちょうどいいペースにリセットできます。

その際、文頭の一語、「さて」であれば「さ」を高く発声しましょう。すると話にメリハリがつき、聞き手も気分が変わって新鮮な気持ちで耳を傾けてくれるでしょう。

❸ 聞き手に質問する

「ここまでで何か質問はありますか？」「皆さんは、いかがでしょうか？」などと、聞き手に呼びかけます。問いかけによって、ペースやリズムを変えられます。また、質問を通して、聞き手とつながることもできます。

4 焦りが出たら、足の裏を意識する

「このままじゃいけない。どうしよう！」と焦りの状態になったら、「足の裏」に意識を持っていきましょう。

緊張すると、思考がグルグル働き始めて意識が頭に集中します。これがいわゆる「上がった」状態です。そこで、上に行った意識を足元や床に向け直すのです。足の裏を意識すると、瞬時に重心が下がります。それで落ち着きを取り戻し、自分のペースで話し始められるでしょう。

5 少し歩いて、視点と気分を変える

立っているところから左右、あるいは前後に1、2歩歩いて体を動かすだけでも緊張状態を和らげることができます。また、立ち位置が少しずれるだけでも気分や視点が変わるため、流れの切り替えに役立ちます。

最後だけ視線を上げれば堂々として見える

来賓として、また、主催者としての挨拶など、フォーマルな場で話すときは、「原稿に沿って間違いなく進めること」が大切です。

しかし、原稿に目を落としたままだと聞き手とのつながりがなくなり、せっかくのメッセージが伝わりません。そうは言っても原稿を丸暗記して話そうとすると、プレッシャーで硬くなってしまいます。どうしたらいいでしょうか。

結論から言うと、**原稿を読んでも問題ありません。文章の「最後」だけ視線を上げればいい**のです。

途中は原稿に目を落としていても語尾は顔を上げて聞き手とアイコンタクトを取る。

こうすれば、ずっと原稿を読んでいるという印象は持たれません。しかも、自分と相手の双方が安心できるちょうどよさもある、ベストな話し方です。

一方、原稿に目を落としたほうが、聞き手の信頼が高まるケースもあります。**固有名詞や数字**などです。

テレビ局時代の経験ですが、視聴者から「今日のニュースでアナウンサーが原稿をまったく見ずに統計の数字を言っていたが、本当に正しいのか」という問い合わせが来ることがありました。

視聴者としては、「細かな数字を何も見ないで言っているけれど、大丈夫かな？」と思うわけです。

アナウンサーが緊急ニュースを読む際には、文末だけ目を上げていることが多いので、テレビでチェックしてみてください。

通常のニュース番組では、カメラのレンズの中央に準備した原稿が映し出されるプロンプターを使えるので、アナウンサーは視聴者を向いたまま話しているように見えます。

しかし、放送直前に飛び込んでくるニュースは、プロンプターの準備が整わないため、手元の紙の原稿を初見で読まなければなりません。そんな時は、最初の一言はカメラを見て話し、その後は原稿に視線を落として読みます。

そして文末に再び顔を上げ、視聴者に視線を向ける。これを繰り返しながらニュースの最後は「〇〇でした」とレンズを見て締めくくります。

アナウンサーはそうやって、視聴者にニュースを伝える工夫をしているのです。

これは人前で話すときも同じ。たとえ内容を暗記していたとしても、数字や日付、人名や固有名詞など、間違ってはいけない部分は原稿に目を落とすようにするのも一案です。

コラム

NYのプロフェッショナル・スピーカーの規格外の練習量

アメリカには、プロフェッショナル・スピーカーと呼ばれる職業があります。日本で言えば、講演家といったところでしょうか。

日本の講演家は、話の内容や専門性、本人の実績などによって人気度が決まりますが、アメリカでは、それに加えて内容をどのように伝えるのかという「話し方」が非常に重視されます。定期的にトーク力やプレゼン力のコンテストが行われ、ランク付けもされるほどです。

それもあって彼らはとにかく練習するのですが、私のニューヨークの友人である日本人のプロフェッショナル・スピーカー、リップシャッツ信元夏代さんの練習量と質は圧倒的でした。

大会前には、演台で歩く方向や歩数、手を上げるタイミングや角度、回数まで決めて何度もスピーチを繰り返します。それを録画して確認。人にも見せてフィードバックを受け、ブラッシュアップしていくのです。

そのプロとしての彼女の姿勢に多くを学びました。

彼女が常々口にしているのは、「よいスピーチをするには練習が大事だ」ということです。スピードが求められるニュースの仕事をしてきた私にとって、一つのニュースを徹底して練習する習慣はありませんでした。プレゼンとニュースでは目的や性質が違うのですが、私も彼女の姿を見て、「ここ一番」のプレゼンの前は、練習をしてから臨もうと思いました。

第4章

ちょうどいい話し方は「声」でさらによくなる

声の使い方で、人生はガラッと変わる

「ちょうどいい話し方」は、自分と相手が互いに居心地よく、気持ちよく調和する話し方。だからこそ、声に磨きをかけることも大切です。

私たちは、この世に生まれて言葉を覚えてから、声を使って毎日何かしら話しています。日々の挨拶、友達や家族とのおしゃべり、学校や職場での少しフォーマルな会話、公の場でのスピーチやプレゼンなどです。メールやSNSなど文字でのやり取りも加えると、ひっきりなしにおしゃべりをしています。

さらに、声には出さない自分とのおしゃべりも止まりません。頭に浮かぶ思考も言葉からできています。

人間は一日に約6万回考えるという話もあります。朝起きてから夜寝るまで、時には寝ている間も、夢の中ですら言葉を使っているのが私たち人間です。

たとえば、家族や恋人、友達に「大切だよ、大好きだよ」と柔らかい声で伝える。自分の夢や目標を芯のある声で語って周囲に協力してもらう。仕事で成果を挙げる。面接や打ち合わせで自分の考えをわかりやすく伝える。力のある声で人を励ましたり応援したりする……。すべて、声を使うからこそできることです。

●人の心を惹きつける〝響く声〟とは

声は、人の印象を作るだけでなく、**相手とよい関係を結ぶための魔法のツール**です。

よく通る声、心地いい声の人の話を聞いていると、思わず聞き入ってしまうことはありませんか？　自然と、「いい声だな……」と好感を抱くのではないでしょうか。

よい声には、場の空気を変え、聞く人の心を自然に開き、いい関係を作る力があるのです。

逆に、声が小さく滑舌が悪いと、相手から聞き返されたり、内容がきちんと伝わらないことも……。どんなにいいメッセージや素晴らしいアイデアも、相手に届かなければ意味はありません。

もし、あなたがよりよい声を手にできれば、自分の気持ちが相手により伝わりやすくなります。すると、あなたの声は聞き手に届き、自分の思いや魅力をアピールするための助けとなってくれます。

そして、**いい声は豊かなコミュニケーションを育んでいく力**となります。

相手も、あなたの考えていることをより深く理解できることでしょう。

口の開け方や呼吸量、体作りなどに着目すれば、声の質は確実に変わります。ぜひ今日から少しずつ磨いて、「思いが伝わる声」「相手に届く声」を作っていきましょう。

どんな声質でも響く声で話せる

でも、いい声を出せるのは、元から「いい声」を持っている人だけと思っていませんか？

それは誤解です。「私は声がよくないんです」「自分の声が嫌いです」とおっしゃる方が多いのですが、**生まれつき「悪い声」は存在しません**。

まず、自分の声を自分自身で認め、好きになること。これが「いい声」の第一歩です。

顔や指紋が全員違うように、声帯の大きさや長さ、幅はみんな違います。そこから生まれる声は、世界でたった一つのあなただけの声です。

実は、何を隠そうアナウンサーを生業にする私も、元々はやや低音でハスキーな声質でした。長年、声にコンプレックスがありました。生まれつき呼吸器が弱く、10歳ごろまでは喘息もひどくて弱々しい声だったのです。

アナウンサー研修では、「声が硬い！」と指摘され、しかも、ベタベタと甘えたしゃべり方をしていたので徹底的に直されました。

でも、「素質があって選ばれたアナウンサーが特別な訓練を積んだのだから、声がよくなって当然。一般人は同じようにはいかない」と思っている方もいるかもしれませんね。

私が教えている大学生たちは、半年間の授業と自主練習することで、確実に声が変わっていきます。また、話し方研修を受けてくださる方たちも、ちょっとしたコツをお教えすると、ハリのある声になっていきます。

通りのいい声、思わず聞き入ってしまうような声は、簡単なトレーニングを続けることで**誰でも手に入れられる**のです。

新人アナウンサーは入社後3か月間ほどみっちり研修を受けますが、研修が終わるころには、全員、見違えるようないい声に変わっています。

私自身、研修や現場で鍛えられ、試行錯誤しながら訓練するうちに、声の仕事をここまで続けられています。

なので、断言します。声は、確実に変わります。

●響きが加われば、誰でもいい声になる

それでも、「自分の声に自信がない……」という方は、多いのではないでしょうか。

実は、声の質をよくする秘密があります。今の地声に〝あるもの〟が加われば、全員いい声になれるのです。

その〝あるもの〟とは、「**響き**」。

ちょっと思い出してみてください。「あの人の声は魅力的だな」「素敵な声だな」と思う人の声は、どこかまろやかさがあり、よく響く声ではないでしょうか。

響きのある声はやわらかく共鳴して、フワーッと周りに広がります。小さな声でも聞

き取りやすく、ざわざわした場所でもよく通ります。

一方、響かない声は硬く、大きな声でも直線的です。ですから、強さはあっても心地よくありません。

ハスキーな声も、高い声も低い声も、響きが加わると楽器が共鳴して美しい音色を奏でるように、誰の耳にも心地よく聞こえるのです。


たとえるなら響く声は、名演奏家の奏でるバイオリンの音色。同じバイオリンでも、アマチュアと一流の演奏家の演奏は、まったく音色が違いますね。後者の音がなぜ人の心を打つのかというと、音に心地よい響きが加わっているからです。

声もこれと同じです。技術を身につければ、そこに響きが生まれます。そして、人の心を動かす心地よい声で話せるようになるのです。

響きのある声は、扁桃体を刺激する

なぜ、響きのある声は心地よく感じられるのでしょうか。

脳科学の研究によると、耳から入ってきた声は、大脳辺縁系の扁桃体（へんとうたい）という部位でキャッチされることがわかっています。

扁桃体は脳の中では早くから発達した部分で、「快・不快」などの情動反応に関わる役割があります。

たとえば、ガラスや黒板をこする時に出るキーッという音は、扁桃体が不快だと認識。脳は「これ以上聞きたくない」と判断し、その音をシャットアウトします。

逆に、扁桃体が「快」と感じた声は、理性の脳である前頭葉が「いい感じ」「好きだ」と認識。人は「もっと聞いていたい」とさらに耳を傾けるようになります。

その「扁桃体が心地よく感じる声」が、響きのある声だというわけです。

つまり声には、人の感情と思考を動かす力がある。そして、心地よく響く声で話せば、相手の心に届きやすくなり説得力を増すのです。

●自分の個性を大切にして響きのある声を

人にはそれぞれ個性があります。

グループの中心で人をグイグイ引っ張るリーダー、縁の下の力持ちとしてサポート役に徹している人。また、普段は控えめでも自分の世界を持っている人、物静かで上品な人、一緒にいると落ち着く穏やかな人……。

どんな人にも持ち味や魅力があり、その人だけの声があります。自分も周りも元気に明るくなるような声で話す。そんな意識を持って声を育てていきましょう。

はつらつとした声は、自分という存在を印象づけるために一役買ってくれます。あるいは、ここ一番というタイミングで力を持った声で話せれば、あなたの気持ちや主張を確実に伝えられます。さらに、明るく響く声には、あなたと接する人の気持ちを晴れやかにする力もあります。

ただ、誤解のないように言うと、無理をして陽気な声やパワフルな声を出さなくてもいいのです。自分らしい声を伸びやかに出すことを目指していきましょう。

私自身、今でも声が大きいほうではありません。しかし響きでカバーしているため、声が小さいとは言われません。むしろ家族から「電話の声が大きすぎる」と嫌がられるくらいです。

自分本来の声に響きが加わると、声量は少なくても相手の心に届く声、印象に残る声になっていくのです。

抑揚を意識するだけで、「伝える力」が大幅にアップする

ここからは響きのある声を手に入れるためにできることをお伝えしていきます。

一般的に、「自分の声や話し方に自信がある」という人は少ないのではないでしょうか。研修や講座でも、「思っていることがうまく伝わらない」「しゃべりが下手なのが悩みだ」といった声をよく耳にします。

でもそれは仕方ありません。私たち日本人は、感情をストレートに表さない文化で、長い間学校教育にもプレゼンの機会が取り入れられてこなかったため、自分を表現することに苦手意識を持つのは当然なのです。

そこでまずは、本格的なトレーニングの前に、簡単なコツをお伝えします。

実は、ほんの少し声の調子や話すスピード、語尾や表情などを変えるだけで、相手に与える印象は大きく変わるのです。

声にも「表情」がある

ここで一つ、皆さんにお伝えしたいことがあります。

それは、**声にも「表情」がある**ということ。

たとえば、「そうなんですね」というあいづちも、声の使い方一つで場の空気が明るくなったり凍りついたりします。第2章のP76でお話ししたことにも似ているのですが、ここでは「声」に注目してもう一度考えてみてください。


明るい表情と高い声で言う「そうなんですね」。

暗くうつむいて低い声でつぶやく「そうなんですね」。

速く、吐き捨てるように言う「そうなんですね」。

何度もうなずきながらゆっくり発する「そうなんですね」。

いかがでしょうか。皆さんも動作をつけながらいろいろな「そうなんですね」を言ってみてください。声の抑揚と言い方だけで、受ける印象は、まったく違うのではないでしょうか。いつも話している言葉にわずかな表情を加えるだけで、伝わるニュアンスは大きく変わります。

アナウンサーがナレーションを録音する時も、姿は映らないのですが、嬉しい場面では嬉しい表情で、悲しい場面では悲しい表情で語ることで、言葉のニュアンスを声で表現しています。力強く語る時などは、録音ブースの中で手を上げながらしゃべっていることもあるくらいです。

皆さんは、自分がどんな声で、どのような抑揚をつけて話をしているのか、見てみたことはありますか？　誰かが録画してくれた自分の話す姿を見て、「え、こんな感じなの⁉」と驚いたり、恥ずかしい気持ちになったりしたことがある人もいるかもしれません。

私もアナウンサーとして新人のころ、自分のリポートが、想像以上に淡々としていて驚いたことがあります。

感情を込めて現場の雰囲気を一生懸命伝えているつもりなのに、まったく臨場感が伝わっていない。淡々とした語り口でそっけない印象でした。

当時はまだ声を張っているつもりでも不十分で、慣れない現場での緊張もあって硬いリポートになっていたのです。

●「高く・低く」「速く・遅く」を意識しよう

そこで、皆さんにおすすめしたいのが、いったん「自分では少しオーバーかなと思うくらい感情を込める」という方法です。

具体的には、以下の二つがあります。

●言葉に思いっきり「抑揚」をつける

たとえば、「ご覧ください、今日こちらの桜が満開になりました！」という言葉であれば、「ご覧ください」と「満開」は、いつもよりもかなり大きく高い声で言うようにする。これが、言葉に「抑揚」をつけるということです。

これには目的があります。「ご覧ください」は注意を引くため、「満開」は最も大切な情報を強調するためです。

言葉に「緩急」をつける

他にも、「**印象づけたい言葉をゆっくり話す**」という方法もあります。たとえば軽めのトーンで話している時、大切なところで次のようにゆっくりになると、人は「ん、なんだろう?」と感じて、どんどん引き込まれていきます。

・強調したい大切な部分の前に、長めの間を置く。
・そしてその言葉をゆっくり高めの声で話し、その他はサラッと流すように話す。

日常会話でも、抑揚や緩急を意識すると声に表情がつきます。すると、大切な部分が際立つので、自然と内容がよく伝わるようになるのです。

「抑揚」は「ハッピーバースデー」を歌うようにつける!

「言葉に抑揚をつけるなんて、むずかしい……」と感じている方もいるかもしれませんね。たとえば、誰もが子どものころに一度は歌ったことのある「ハッピーバースデー」の歌は、高音と低音がバランスよく並んでいて抑揚の練習に最適です。音の高低を意識しながら歌ってみましょう。「ハッピ・バース・デー・トゥー・ユー」の言葉のどこにどれだけ力を入れるかは、とてもイメージしやすいのではないでしょうか。

これ以外でも、カラオケや普段の生活の中で、高低差を意識しながら好きな歌を歌うのもおすすめです。なるべく音の高低差が大きい歌を選ぶと、抑揚をつけるイメージが体感しやすいでしょう。

また、**「出だしの音」だけを高くしてみる**のも抑揚の練習になります。ぜひこちらの文章で抑揚をつける練習をしてみてください。

日本語の特徴として、「始めから終わりにかけて徐々に低音になる」性質があります。それを利用して、一音目を意識して高い音にして、句読点の区切りで低くなった声をもう一度高音に戻す話し方を意識してみてください。徐々に抑揚の感覚がわかってくるでしょう。

目の前の人が　どんなことを望んでいるのか。
それらを瞬時に感じ取って、言語化して　相手に伝えられる。
そして、自分が何を感じ、考え、どうしたいかも　自分らしく表現できるのです。

「上虚下実」の姿勢で立ち姿もきれいに

これからお話しする発声法やストレッチ、呼吸法などを実践すると本来のキャラクターや個性が表面に出て自信が生まれ、より自分らしく輝けるでしょう。

初めから大きくジャンプしなくても大丈夫。今の自分を一歩だけ前に進めるつもりで学んでいってください。

響く声を出すための最初のカギとなる第一ステップは、まず、リラックスすることです。体がガチガチにこわばっていたら声の共鳴が起こりにくく、美しい響きは生まれません。

先ほど「響く声は、名演奏家の弾くバイオリンの音色と同じ」とお話ししました。

バイオリンの音は、弓で弦を弾けば出ますが、その音色が響いているのはボディ部分。バイオリン本体が豊かな共鳴を起こすからこそ、人々を魅了する音になります。

私たちの声も、〝ボディ〟つまり身体で響かせるのです。

● ゆるめすぎずに、適度なハリを

喉から出た声を全身の骨や筋肉に共鳴させられたら、響きのある声となって相手に届きます。

でも、ゆるみ切った体では、いい声を響かせることはできません。リラックスした状態で適度なハリを持たせることが大切です。

たとえば、太鼓の皮がパンパンに張りすぎていたら、バチで叩いてもよい音は響きませんが、逆にゆるみすぎているとベコンという気の抜けた音になってしまいますね。

声もこれと同じで、**適度な緊張感と心地よさをキープしている状態にゆるめる**ことが大切です。

緊張がほぐれると、気持ちも自然とリラックスします。これも響く声を出す大事な要素です。お酒を飲むと自然に声が大きくなりますが、それはリラックスすると声が出やすくなるから。また、体をゆるめると自律神経が整い、心身の状態が安定する作用もあります。この後でご紹介するストレッチが程良くリラックス効果を高めてくれますので、実践してみてください。

●響く声を出す「上虚下実」の姿勢

今度は、響く声の理想的な姿勢を紹介しましょう。

響く声が出る理想的な姿勢を一言で表すなら、「**上虚下実**（じょうきょかじつ）」。

武術の達人の立ち姿を表す言葉で、上半身はリラックスしていて自由に動かせ、下半身は下腹に力がグッと入って安定している状態です。

武道や東洋医学では、おへそから10センチほど下に、臍下丹田（せいかたんでん）と呼ばれる場所があるとされています。

この臍下丹田は〝気〟が集中するところです。そこが充実していて、下半身はどっしりとしているので倒れない。一方、上半身はどこから攻撃が来てもすぐ反応できるよう、しなやかに動かせる。

上半身を押されても、下半身でしっかり支えることができる。これが上虚下実の姿勢です。

本来この姿勢に達するには鍛錬が必要ですが、次の簡単なポイントを意識するだけでかなり声に変化が出ます。次のページのイラストも見ながら、この3つのポイントを意識して実際にやってみてください。立ったほうがわかりやすいですが、座っていてもできます。

1 両足の上にしっかりと立ち、背骨がスッと伸びている状態を作る。頭頂部が天から引っ張られるようなイメージ。

2 肩の力を抜き、両方の肩と胸を開く。肩甲骨を寄せる動作も同じ効果。

3 最後にお尻を締めて尾てい骨を下に向ける。

肩の力が抜けてお腹に適度な力が入っている感覚がわかるのではないでしょうか。お尻とお腹をグッと引き締めた状態。腹筋や骨盤底筋に力が入り、お腹がへこんでお尻が中心に寄っている状態です。

感覚がつかめない人は、きついジーンズを履く時にお腹とお尻をギュッと縮める感覚を思い出しましょう。この時、お腹の奥の丹田、インナーマッスルに力が入るため、心身ともに安定するのです。

この姿勢がキープできると響く声が出るだけでなく、骨盤が立って背筋がスッと伸び、きれいな立ち姿になります。凛(りん)とした雰囲気が出て注目が集まるので、スピーチなどで人前に立つ時もこの姿勢を意識しましょう。

実はこの姿勢を意識して話すと、響く声を出すのに欠かせない腹式呼吸が自然とやりやすくなるのです。そして、声量や声質が変わってきます。

響きのある声を出すためのベースになるので、ぜひ日頃から意識してこの姿勢を自分のものにしましょう。

声の大きさは「吐く息」の大きさに比例する

理想的な姿勢を習得したら、次は呼吸です。

声の大きさは「吐く息の量」に比例しています。声に力がある人は息をたくさん吸って吐いている。つまり呼吸が深く、肺活量が大きいのです。

肺活量を増やすには、何より「腹式呼吸」を意識することが重要です。

●腹式呼吸は「お腹にある風船」を意識

では、正しい腹式呼吸のやり方をお教えしましょう。

1 口から息をハーッと吐きながら、おへそを背中にくっつけるようなイメージでお腹を〝ぺたんこ〟にへこませる。

2 肺の空気を全部出し切り、苦しくなる手前で、お腹をフッとゆるめて力を抜く。

3 同時に鼻からスーッと息を吸う。お腹の中心にある風船を膨らませるつもりで、お腹を膨らませる。

1～3を数回繰り返し、その後は、お腹の中にある風船をへこませたり膨らませたりするイメージで呼吸を続けましょう。

呼吸が深い人は、必ず腹式呼吸ができています。

新人研修の基礎訓練で必ず行うのが、この腹式呼吸。自主練習も含めて1日少なくとも100回はやるように指示され、研修期間中に意識しなくても腹式呼吸ができるところまでもっていきます。

なぜ腹式呼吸で肺活量が上がるかというと、お腹を動かすことで胸と腹の境目にある横隔膜が下に引っ張られて肺が縦長になり、縦横に大きくなるからです。すると自然に息がたくさん吸い込めます。

腹式呼吸を実践すると、それまでささやくような声で話していた人も次第に呼吸が深くなり、大きな声が出るようになります。

腹式呼吸を行うと、内臓が刺激されて健康になり、自律神経が調整されるため精神状態が安定します。心身全体にいい影響をもたらすので、乗り物に乗っている時や散歩中なども利用して習慣化していってください。

緊張する打ち合わせやプレゼンでもお腹の風船を意識して呼吸すると、通る声になるだけでなく心が落ち着きます。

お腹、肩甲骨、胸周りの筋肉をストレッチでやわらかくする

肺活量と声量は比例するとお伝えしましたが、肺そのものには筋肉がないので直接鍛えることはできません。

働きかけるのは、肺をコルセットのように押さえている「肋骨周り」の筋肉。そのため、肩甲骨や胸周り、脇腹の筋肉を中心にストレッチして、肺が自由に動けるように、やわらかくしておきましょう。

そのためには、全身をストレッチすることが重要です。

まずは、肩や首の筋肉にも作用し呼吸がしやすくなるストレッチをお教えします。無理に大きく動かそうとせず、ゆっくり丁寧な動きを心がけましょう。

ストレッチ1　両腕を組んで胸と肩甲骨のストレッチ

1 胸の前で手のひらを自分に向けて組み、息をたっぷり吸う。

2 息を吐きながら、両方の手のひらを握ってグッと前に出し、肩甲骨の間を開くように背中を丸める。この時、手のひらと肩甲骨が引っ張り合うイメージを持ちながら、両手は遠くに、背中はできる限り丸める。

3 再び息を吸いながら手のひらを自分に向けて近づけ、背骨も元の姿勢に戻る。

4 この動きを何度か繰り返す。

ストレッチ2
肘をゆっくり大きく回す

1. 両方の肩に両手の指先を置き、そのまま両肘を胸の前で合わせるようにしながら天井に向ける。
2. 肩甲骨を寄せながら後ろに向かって動かし、両肘で大きな輪を描くようにゆっくり回す。
3. 数回グルグルと回したら、後ろから前に向かって同じように数回動かす。
4. この動きを何度か繰り返す。

次は全身を自由に動かし、こわばった部分をほぐすストレッチ。無理なくケガなくでき、全身がゆるんで緊張も和らぐ効果があります。寝る前に仰向けでやると熟睡しやすくなりますよ。

ストレッチ3　全身をほぐす「ゆるゆるストレッチ」

このストレッチは簡単です。**その場で、とにかく好きなように体を動かします。**

立っていても座っていても、横になっていてもOKです。

たとえば、立って腕をだらんと下げ、全身の力を抜いて両腕をブラブラと動かします。その時、「右手が重いな」と感じたら、右手をブラブラさせたり右肩を回したりしてみる。首や肩が凝っている感じがしたら、首や肩を回す。

あるいは、しゃがんだり腰を回したり、大きく伸びをしたりするのもいいでしょう。

体のどの部分がこわばっている

か、どこを動かせばいいかは、自分の体が一番よく知っています。それを信頼して体が感じるまま、自由に動かしていきましょう。

このストレッチの目的は自分自身が気持ちよく、「体や気持ちがほぐれたな」という状態になること。

「体がゆるんだな」「気持ちいいな」「十分ほぐれたな」と思えたら、そこで終了です。

1週間で体の変化が訪れる

ストレッチの回数に制限はありません。数日に1度のペースで数十分ずつやるより、気づいた時に短い時間でいいので毎日続けるほうが効果的です。

忙しくてつい忘れてしまうという人は、朝やお昼の休憩後、トイレに立った時やお茶を飲む時など、自分なりにタイミングを決めておくといいでしょう。

また、「あぁ、疲れたな」「体がガチガチだ」と感じる時に、まずはストレッチ。この習慣をつけるとリフレッシュに役立ちます。特に「ゆるゆるストレッチ」はリラックス効果も高く、おすすめです。

ストレッチを始めて1週間ほどで、徐々に肩が楽になったり呼吸が深くなったりして、体の変化を感じられるようになります。3週間ほど続けると、声に響きが加わるだけでなく、心身ともにほぐれて楽になっていくでしょう。

以前の私は、緊張したりストレスが溜まったりすると、すぐ肩が凝り、胃も痛くなっていました。しかしストレッチを始めたところ、気がつくとすっかり改善されるようになっていったのです。

毎日少しずつ、こまめにやるのが継続のコツです。響く声と心身の健康のために、第2章でご紹介したストレッチと合わせて習慣化してください。

響く声の秘訣は口の中の「高さ」にあり

さあ、ではいよいよ、実際に声を出していきましょう。

まず意識するのは、「口腔（こうくう）の高さ」。つまり、口の中の高さです。

専門用語で言うと、「硬口蓋（こうこうがい）」と「軟口蓋（なんこうがい）」の境目あたりを高くするよう意識します。喉を開いて、口の中に共鳴を作るためです。

軟口蓋は、すぐ見つけられます。

上の歯の付け根に舌を当て、そのまま上あごに沿って喉の方に舌先を滑らせましょう。

最初は、硬い上あごがあって、急に柔らかい喉の部分へと変化します。そこが軟口蓋です。話す時に、硬口蓋から軟口蓋に切り替わったその部分を上に持ち上げるようにして、天井の高い空間を作るのです。

● 高さのある空間では音が響く

感覚をつかむために、オペラ歌手がどうやって歌っているかをイメージしてみてください。

彼らは、喉を思い切り大きく開けて声を共鳴させています。私たちはそこまでする必要はありませんが、話す時に喉の手前部分を高く上げるようにします。それだけで声に響きが出てきます。

なぜそれだけで声が響くのか不思議かもしれませんが、実は非常に仕組みはシンプル。高さのある空間では音がよく共鳴するのです。天井の高い部屋や鍾乳洞のようなところでは音がよく響くのと同じ原理ですね。

●「自然体の地声」を意識しよう

口の中を高くする感覚がつかめたら、普段通りの声で話せばOKです。

参考までに言うと、日本社会では、男性アナウンサーはやや低い声、女性は少し高めの声が求められる傾向があります。でも、アメリカのニュースキャスターは、男性も女性も低音の迫力のある声がよいとされています（好まれる声にも文化の違いがあることをニューヨーク駐在時代に実感しました）。

ただし無理に音の高さを変えると喉が締まり、声が硬くなってしまいます。ですから普通に話す時は、音の高低を意識するより心身の力を抜いて「自然体の地声」に響きを加えるようにしましょう。

ハミングは、声を響かせる最高の発声練習

では、発声練習をしてみましょう。

発声練習というと、「あーー、いーー、うーー、えーー」とロングトーンで大きな声を出したり、早口言葉で滑舌の訓練をしたりするイメージがあるのではないでしょうか。

これは確かに有効な方法なのですが、力が入った状態で行ってしまうと声帯を傷める可能性があります。

そこでおすすめするのが「ハミング」です。

口を閉じて「んーー」とハミングする時の声帯の状態であれば、実は誰でも、とても

響きのあるいい声が出ています。それだけでありません。ハミングなら声帯を傷つけることなく発声練習ができるのです。

先ほど、響きのある声を生むのは体の適度なゆるみだとお話ししましたが、喉も同じです。ハミングすると自然に喉がゆるみ、声が共鳴します。

また、ハミングにはリラックス効果もあるので、喉や体がベストな状態になる効果もあります。プレゼンやスピーチの前のウォーミングアップにもぴったりです。

●声は体という「楽器」に響く

実際に、ハミングしてみましょう。

「んーー」と、鼻から音が抜けるようなイメージで発声してみます。

この時、硬口蓋と軟口蓋の境目あたりに息を当てるつもりで、声を出します。すると口腔内が高くなり、最も響きを出せる声帯の形になります。

そのまま「んーー」と発声していると、声が増幅されていくのがわかるでしょう。

ハミングしながら、体の振動に意識を向けてみましょう。くちびるの周りや鼻の周り、頬などが微妙に振動しているか、喉や胸、顔周りを手で触ってみて、振動しているかを確認してみてください。

話したり歌ったりする時、人の意識は外に向いています。

しかし、ハミングをすると、意識は自分の内側に向かいます。ですから、ここでは自分自身の状態に意識を合わせ、じっくり観察してみましょう。

声は、体という「楽器」全体に響きます。慣れてきたら、頭がい骨などにも振動が伝わっているのがわかるでしょう。

ハミングの喉の状態をキープすれば響きが加わる

次は、ハミングの「んーー」から徐々に口を開け、そのまま「あーー」と発声してみましょう。その時、「あーー」という声には響きが加わっているはずです。

その喉の状態をキープしたまま、話し始めてみましょう。

たとえば、「んーーー」から声を出しながらゆっくり口を開けて「あーー」と言い、続けて「明日(あした)もお元気で」と言ってみます。いつもとは違った豊かな声になっているはずです。

「んーあー、んーいー、んーうー、んーえー、んーおー」と、ハミングから母音を発声していきましょう。喉が開いている感覚や声の質に注意を向けながら、この練習を繰り返すと響きのある声を出す感覚がつかめます。

最初は、この状態をキープしたまま何か文章を読んだり、音読の練習をしたりしてみましょう。普段話している時も「喉がハミングの状態になっているかな」と意識してみる習慣をつけてください。

● 楽しくハミングしてリフレッシュ

ハミングの練習で大事なことは、楽しむことです。

散歩や掃除、お風呂などのちょっとした時間に、好きな歌やメロディーをハミングしながら喉の感覚を確認してみましょう。

気軽に、そして楽に響く声を手に入れられます。

特に、疲れたり気持ちが沈んだりした時こそハミングを。

すると瞬間的に気分を切り替えられ、発声の練習と同時に、疲れや落ち込みも払拭できます。合わせてストレッチで体を動かせば、リフレッシュ効果が倍増します。

「いい声」は後から身につけられる

次は、声の大きさについて見ていきましょう。

「昔から声が小さくて、聞き返されるのが悩みです」とおっしゃる方がいますが、生まれながら小声だという人はいません。赤ちゃんのころは、誰でも思い切り大きな声で泣いていたはずです。

ではなぜ、声が小さくなるのか。

これは、育った環境が影響している場合があります。たとえば、家族や人の出入りが多くにぎやかな家で育った人、学生時代に運動部や演劇部などで声を出す経験をしてきた人は自然と大きな声が出ます。

一方、親が家で仕事をしていたり家族に病人がいたりして大きな声を出せる環境でなかった人は、次第に声が小さくなる場合があります。また、私のように小児喘息で呼吸器が弱かったり呼吸が浅かったりする人も、大きい声が出にくい傾向があります。

しかし、そんなケースでも正しい発声法を学べば、大きな声や響きのある声が出るようになります。

「私の声は小さい」と思う人は、一度、大声を出す実験をしてみましょう。

まず体をほぐし、息を吐きながら、遠くにいる人を呼び止めるつもりで「〇〇さーん」と勢いよく声を出してみるのです。すると自然に今よりも大きな声が出るのではないでしょうか？

手っ取り早く、クッションや枕などに口をつけて大声を出してみるのもおすすめです。意外に大きな声が出せることがわかり、新しい自分を発見できるでしょう。

気づかないうちに自分で決めていた声の制限が外れるかもしれません。ぜひ試してみてください。

●必ずしも大きな声がいいというわけではない

念のために言うと、大きな声が出ればいいかというと、決してそうではありません。声はあくまでもコミュニケーションのツール。相手と交流し、理解し合うためのもの。TPOをわきまえず大声で話すと、「空気の読めない人」になってしまいます。常に、シチュエーションや相手にとってちょうどいい声の大きさを意識しましょう。

ではどうするか。

まず**話し始めは、相手の声の大きさやスピードに合わせる**のがいいでしょう。

相手が大きい声で早口の人であれば、自分も少しテンションを上げて話します。逆に、ゆっくり大人しくしゃべるタイプの人だったら、スピードや音量を落として話すことを心がけましょう。会話が進むにつれて、早口すぎる人に対しては、ややゆっくりと、また、声が小さすぎる人にはこちらが大きめの声で話すのです。

これにより、ちょうどいい雰囲気ができていきます。そうすれば相手も話しやすくなるのです。

●あごの力を抜くだけで「いい声」になる

いよいよ話す練習に入ります。

その前に確認ですが、あなたには歯を食いしばるクセはありませんか？「心当たりがない」という方も、何かに没頭して作業している時や、ストレスが多かったり人間関係で気を使ったりしていると知らないうちに奥歯を噛み締め、あごに力を入れているもの。とかく、あごにはストレスが溜まりやすく、「我慢はあごに溜まる」と言われるほどなのです。

あごに力が入っていると口を正しく開けにくくなり、響きのある声は出せません。

でも、あごの力を抜くのは意外に簡単なので安心してください。次のページで簡単なストレッチを紹介します。さっそくやってみましょう。

上下、左右5回ずつ行えば十分です。
動かしている間に、指をそっと当てて優しくマッサージしてもいいでしょう。

この動きには、口を開けやすくするだけでなく緊張を解く効果もあるので、あくびが出てくるかもしれません。あくびもあごがゆるんだよい証拠です。無理のない範囲で楽しく取り組みましょう。

「あいうえお」には、正しい口の形がある

では、あごがゆるんだところで滑舌を練習していきましょう。

どんなに響く声で話しても滑舌が悪ければ、何と言っているのか理解してもらえません。「え?」と聞き返されると、話すことが億劫になってしまいます。

試しに、次ページの早口言葉を声に出して読んでみましょう。ただし、早く読むのではなく、一音一音をゆっくりと明確に発音するように読んでください。

【滑舌練習】

■青は藍(あい)よりいでて　藍より青し

■青なっぱ　赤なっぱ　赤なっぱ　青なっぱ

■歌歌いが来て 歌うたえと言う

■瓜売りが　瓜売りに来て　瓜売り帰る　瓜売りの声

■あの映画(えーが)はいい映画(えーが)だ

■東京都　特許　許可局

■親がもめ　子がもめ　孫がもめ

■青巻紙　赤巻紙　黄巻紙

■親がめの背中に小がめを乗せて　小がめの背中に孫がめ乗せる

■キツツキが木をコツコツとつついているのが聴こえる

■書写山(しょしゃざん)の写僧正(しゃそうじょう)

■この竹垣(たけがき)に竹立(たけた)てかけた

■生麦　生米　生卵

■どじょうにょろにょろ　三(み)にょろにょろ
合わせてにょろにょろ六(む)にょろにょろ

■のら如来　のら如来　三(み)のら如来　六(む)のら如来

■坊主が　屏風に　上手に　坊主の絵を書いた

■すもももも　ももも　もものうち

いかがでしたか？　たとえうまく言えなかったとしても大丈夫。滑舌も、トレーニングで見違えるほどよくなります。

●母音の口の形をマスターすれば滑舌はよくなる

日本語には「あいうえお」の5種類の母音があります。それでは、か行「かきくけこ」を発音した時の口の形を確認してみてください。同じ「あいうえお」ですね。次に、さ行の「さしすせそ」はどうでしょう？　やはり口の形は同じ「あいうえお」となります。続くた行、な行……も同じです。

つまり日本語は、5種類の口の形がしっかりできていればすべて発音できるのです。母音が明瞭であれば、滑舌は確実によくなります。まず、あいうえおの5種類の「口の形」をマスターしましょう。次の説明を意識しながら発音してみてください。

あ……口を丸く大きく開けて発音する。特に下あごを下げることを意識する。
い……口角をやや横に引く。
う……両頬を近づける。

え……口角を上げる。

お……「あ」の口の大きさよりも小さく開ける。


普段の口の開け方よりも、口や頬の筋肉をしっかり使ったのではないでしょうか。

ではもう一度、ゆっくりでいいのでP203の早口言葉を読んでみてください。

その際、次のポイントに気をつけるようにしましょう。

1 母音の口の形をしっかり作る。
2 音が〝粒〟に分かれて聞こえるよう、一音ずつ区切って発声する。
3 スピードよりも、明瞭さを意識する。

一回目より、口を縦横にしっかり開けられたのではないでしょうか。

この3つのポイントを押さえれば滑舌のよい明瞭な語り口になります。

あとは練習あるのみ。響く声で滑舌よく話すには、スポーツと同じで練習が大事です。1日数分でいいので、3つのポイントを意識して早口言葉を練習しましょう。

練習すればするほど、なめらかにはっきり発音できるようになります。

「声のベクトル」を意識しよう

響きのある明瞭な滑舌の声をより効果的に相手に届ける方法があります。

それは、**話す時に「声のベクトル」を意識すること**です。

自分の声を話す相手に対して、スーッと届けるようにイメージして話すのです。

「届けるポイントが曖昧な声」と「届けたい相手を意識した声」では伝わり方が違います。後者のほうが声や言葉だけでなく、こちらの気持ちも伝わりやすくなると、長年の現場経験で気づいた声の法則です。

●相手の頭の後ろに届くような声の大きさで

では、相手にとって心地よく聞こえる声の大きさはどれくらいがいいのでしょうか？話す環境や相手との距離にもよりますが、基本的には、**「相手の頭の後ろあたり」**に届く音量を意識しましょう。

面接の際など数人と話す時は、「相手の方の後頭部あたり」を、広い会場で大勢の前であれば「部屋の後ろの壁あたり」を意識するとちょうどいい音量で話せるでしょう。

慣れてきたら、自分のハート（胸）から声が出て放物線上に飛んでいき、相手の胸に届くイメージで話してみるのもおすすめです。声をストレートに出すより、丸みのある放物線をイメージして届けたほうがやわらかく相手の心に染み込み、心地よいやり取りが生まれやすくなります。

特に、シャイな小・中学生へのレッスンではこのことを心がけます。このイメージで話し、ふんわりした雰囲気でやり取りすることで、相手と気持ちを共鳴させ、「心の架け橋」を築きながらゆったり会話を進めることができます。

一歩上の話し上手になるには、自分の声を聞きながら話すこと

皆さんは「話している最中」に自分の声を聞いたことがありますか？

この質問をすると「どういうこと⁉」とキョトンとされることが多いのですが、会話をしながら自分の声を自分自身で聞くのは、ちょうどいい話し方をするための大事な秘訣です。

慣れないうちは少しむずかしく感じるかもしれませんが、音楽を聞くように、自分の声に耳を傾ければいいのです。

声を聞きながら話すと、一歩引いたところから自分の話し方や声の響きを観察することができます。

この客観的な視点は、会話をコントロールする余裕につながります。

たとえば、相手のテンションが高まりすぎていたら普通は「どうにかしなきゃ」と焦るかもしれません。

自分の声を聞く余裕があれば、声のトーンやあいづち、言葉遣いを選びながら相手の感情に巻き込まれるのを防ぐことができます。

また、沈んだムードになった時も、その雰囲気に同調することなく、少しだけ高めの声を出したりペースを若干上げたりして場の空気を活性化することができます。

このように自分の声を聞きながら話していくと、意図的に雰囲気をコントロールする技も使いこなせるようになります。加えて、状況を俯瞰（ふかん）できるので、その場にふさわしい質問やリアクションも可能になるのです。

3つのポイントを意識して、場面に合った話し方を

次のポイントを意識しながら自分の声を聞くと、相手や場面に合った話し方ができ、調和の取れた雰囲気作りができるようになるでしょう。

1 口の中が高く、響く声になっているか。

響く声で話すと心地よい雰囲気を作れます。話し始めだけでも213ページの口の開け方を意識し、明るい声を出すようにしましょう。

2 早口になっていないか。

話に夢中になると、つい早口になるものです。自分の声を聞きながら相手と話のペースを合わせるようにしましょう。

3 声の大きさは、相手や場所に合っているか。

声が小さければ聞き返されるので気づけますが、意外に気づけないのが、声が大きす

ぎる場合です。自分の声をみずから聞いていると、声量の大きさに気づきやすくなります。

●音読は、楽しく話す力を育んでくれる

声や話す力を育むために最適な練習が「音読」です。短時間でも続けていくと、次のような効果があります。

- 口周りの筋肉を鍛えるので滑舌がよくなる。
- 響く声を出せるようになる。
- 自分の声を聞けるようになる。
- 感情表現が豊かになる。

つまり聞き取りやすく、相手の心に訴える話し方ができるようになるのです。

●音読は身近な文字なら何でもOK

何を音読するかは、自由です。朗読用の本もたくさん出ていますし、愛読書や新聞、プレゼン原稿や会議用のメモ、好きな言葉や詩、格言など、読みたいものを音読してください。

折込チラシやネットニュースでも構いません。とにかく、身近にある文字を読み上げ、声の響かせ方や滑舌、抑揚のつけ方などを体得していきましょう。

滑舌練習や音読で声と話し方を磨くのは、筋トレと同じで、少しずつでも続けることが大切です。1日数分ずつでもいいので、できれば毎日、歯磨きや洗顔と同じように習慣化してください。

毎日がむずかしければできる時でも構いません。

続けているうちに、「最近会話がスムーズになった」「声が出やすくなった」と感じられるようになるでしょう。

練習すれば、必ず声と話し方は変わる

話し方を磨く訓練は、筋トレと同じです。

筋トレでは、毎回少しだけトレーニングの回数やマシンの負荷を増やし、徐々に筋肉をつけていきます。スクワットでも、今日より明日、明日より明後日とがんばって少しずつ回数を増やすと、筋力がおのずとついていきます。

話し方も同じで、自分にちょっとだけ無理をさせることで徐々に実力がつき、気がつけば「人前で明るく明瞭に話せる自分」になっていくでしょう。

常に練習するのはむずかしくても、「今日の打ち合わせで意識してみよう」「毎週の定例会でテンションを少し上げてみよう」など場面を決めると、毎日が実践の場になりま

す。

この本で学んだことを日常生活で使い、その結果を振り返ってまた改良し、使ってみることを繰り返す。

時にはうまくいかないことがあっても、やり方を工夫して、また挑戦してみる。

そのプロセスで、あなたの声と言葉の使い方は必ず上達します。

私も生放送で失敗すると、放送直後は立ち上がれないほど落ち込みました。

でも「次こそ！」と再び挑戦し続ける中で次第に話すことがうまく、楽しくなっていったのです。文字通り「継続は力なり」です。

あなたも、訓練するうちに必ず手応えが得られるはずです。

「最近、元気そうだね」「発言が変わったね」などのフィードバックが来て、印象が変わり、周囲との関係性も変わっていくでしょう。

●話せば話しただけ育っていく

能力は使わないと衰えます。これも運動と一緒。一度マッチョになってもエクササイズを怠ると筋力は落ちストレッチをサボると元の硬い体に戻りますよね。

声も身体と同じ。話し方も、人の中で揉まれながら成功や失敗を繰り返し、試行錯誤するうちに上手になっていくのです。いったんうまくなっても、技術や感覚を磨き続けなければ元に戻るので、人とつながっていく限り、言葉を磨く作業は生涯必要です。

しかし、やればやっただけ、**話せば話しただけ効果が出ます**。

新人時代は話すことが下手で、放送終了後にトイレで泣いていた私が、今ではその苦手な話し方を教える立場になれたのですから、誰にでもできます。

この本でお伝えした一つひとつは、小さなコツや工夫です。だからこそ継続できます。繰り返し練習し、声と言葉を育てていってください。

「声は人なり」その人の〝あり方〟が声に出る

話し方は、日々のトレーニングで必ず上達します。と同時に、私がアナウンサーになってから今まで、ずっと大切にしていることがあります。

それは、新人研修の初日に部長から言われた言葉、「**声は人なり**」です。

声には、その人のすべてが表れる。だから技術だけでなく、人間性を磨かなければ、決してよいアナウンサーにはなれないと。

緊張した空気の中で語られたこの言葉は、社会人としてもアナウンサーとしても第一歩を踏み出したばかりの当時からこの年に至るまで、私の基盤となる大事な指針となっています。

●言葉が自分を作り、人生を作る

「声は人なり」という教えは、まさに「ちょうどいい」話し方そのものでもあります。「ちょうどいい」話し方は、言葉の技術と人間性の両輪で、人と調和し、新たな価値を作っていくものだからです。

目の前の人がどんなことを望み、今どんな状況にあるのかを瞬時に感じ取り、言語化したり整理したりできる。自分自身が何を考え、希望しているのかを自分らしく表現できる。そんな力が、毎日を幸せにしていきます。

そのために役立つ考え方や技術をこの本ではお伝えしました。

さあ、あとは実践するだけです。

あなたらしい声を響かせ、あなたらしい人生を作っていきましょう。

おわりに

最後までお読みくださってありがとうございました。

こうして声と言葉についてまとめてみると、32年あまりのアナウンサー生活とその後の大学などで教える仕事を通して、さまざまなノウハウを身につけてきたと改めて実感することができました。

アナウンサーの仕事は、多くの能力が試されるやりがいのある仕事です。また小中高校生、就活中の大学生、社会人の方々に話し方を伝える仕事は、喜びの多い仕事だと感じます。

それは、私の授業やレッスンで、目の前の人が大きく変化する瞬間に出会える感動があるからです。

フジテレビ時代の2005年に、社会貢献事業の一つとして、フジテレビアナウンサーが小学生に言葉の出前授業を行う「あなせん」（アナウンサー先生を短くした愛称）プロジェクトを立ち上げました。

私の子ども時代の反省から、小学生のころに話すことの楽しさを体験すれば、その後の人生で、自分を表現することに抵抗が少なく人前で話せるようになるのではという願いがあったからです。

「あなせん」の授業で私は、「失敗はない。うまくなりたいなら、まずは話してみよう!」と繰り返し伝えます。

人前で発言できたという体験が、その子が自信を持つためには一番重要だからです。

私の言葉に背中を押されて、次第に手を挙げる人数が増え、教室には「やる気」が充満してきます。その空気の中で緊張を乗り越え、自分の思いをクラス全員に伝える子どもの姿を目にすると、愛おしさで一杯になります。

授業の後、担任の先生から「いつもは一言も発しない子が、手を挙げてみんなの前で発言した姿を見て私も涙が出た」と言われ、一緒に涙することも珍しくありません。

それを聞くと、私の子ども時代の苦労が報われたような、生徒の人生の役に立てたような気がして、私も深い喜びを感じることができるのです。また、人間は、本来言葉で自己表現したい生き物なのだと実感します。

近年は、ＳＮＳによる非対面のコミュニケーションが爆発的に増えました。対面によるコミュニケーションが主流だった時代を知る私から見ると、コミュニケーションの環境は目を見張るほど激変しました。

ＳＮＳは迅速かつ効率的で、いつでもどこからでもコンタクトできるため、私たちに多くの選択肢と自由を与えてくれました。一方で、ＳＮＳの利用時間が増えると、孤独を感じる人が増加するという調査もあります。

短い言葉や画像によるコミュニケーションでは、その背景にある発信者の気持ちや意図のニュアンスがうまく伝わらず、誤解が生じることもあり、また他人の「リア充」投稿は、うらやましさや疎外感などザワザワとした気持ちをかき立てることもあります。

ＳＮＳは便利だけれど、情報を効率よく伝えることに適している道具であり、そこで生まれる交流は、人間同士の本来のコミュニケーションとは別の物であることを心に留めていたいと思います。

本来のコミュニケーションは、呼吸、声、筋肉、全身の細胞すべてを使って生身の人間が行うものです。

その結果、心身が健康になり、人間関係が改善され、自分の願いを叶えられたり、人間性が磨かれたりして魅力的な人になる。そして、その雰囲気に触れる周囲の人にもよい影響を与えて、信頼の輪が次々と広がっていく。

こうした生のコミュニケーションの先に広がる心の交流も含めたつながり、相互理解の世界を、ぜひ「ちょうどいい話し方」を通して一人でも多くの方に体感してほしいと思います。

「声と言葉でみんなが幸せになる世界の実現」が、私の願いです。

生まれてから生涯にわたって声と言葉とともに生活する私たちにとって、その使い方を磨くことは、武道、花道、茶道と同じ一つの「道」と言えると思います。

この先も「言葉道」を歩み続けた私が、この世で息を引き取る時、どんな声で何を語るのかを想像すると、興味深くもあり怖くもあります。

ただ最期の瞬間は、すべての思いを包含した「無言」という言葉の表現になるかもしれません。いずれにしてもその日まで、技術と人間性を磨く「ちょうどいい・声は人なり」の道を一歩一歩、歩んでいきたいと思います。

最後に、これまでの私の経験を一冊の本にする機会を与えてくださったダイヤモンド社の酒巻良江さん、私の多様な経験を、見事にわかりやすくまとめてくださった編集部の榛村光哲さん、実際に私のレッスンを受けて多大なるお力添えをいただきましたライターの江藤ちふみさん、また、この本の制作に携わってくださった皆さま、そして、生まれてから今日まで、私と声と言葉で交流し、成長の機会を与えてくださったすべての方々に、この場をお借りして心からの感謝をお伝えいたします。

皆さまの人生が、
「ちょうどいい」話し方で
幸せいっぱいになることを願って。

松尾　紀子

［著者］
松尾紀子（まつお・のりこ）
元フジテレビアナウンサー
自分を表現することにずっと苦手意識があり、幼少期は極度の緊張で話せず泣いてばかり。小学校の学芸会ではセリフのある役につけなかったほどだったが、「広い世界を自分の目で見たい」という思いから、1983年慶應義塾大学文学部卒業後、フジテレビに入社。
入社後、「モーニングワイドニュース＆スポーツ」「スーパーニュース」「めざまし天気」「とくダネ！」などでキャスターを担当。1987年からフジテレビニューヨーク支局に特派員として勤務し、現地の日本語放送「おはようニューヨーク」のキャスターを務める。アナウンス室初の女性部長、編成制作局アナウンス室専任局次長を経て、2015年早期退社し、フリーアナウンサーとして司会やナレーションを行う。
現在は、淑徳大学人文学部表現学科専任講師として「放送スピーチ論」、明治大学情報コミュニケーション学部と経営学部で「キャリア形成論」の授業を担当。フジテレビアナウンストレーニング講座「アナトレ」の講師として就活生にアナウンススキル、自己分析、自己PRなど面接対策を教えている。また、公立小学校で講師として「言葉の出前授業」を行うなど次世代の育成にも力を入れて活動している。

レッスン・研修などの問い合わせ
https://commuvoice.net

感じがいい、信頼できる
大人の「ちょうどいい」話し方

2024年３月12日　第１刷発行

著　者——松尾 紀子
発行所——ダイヤモンド社
〒150-8409　東京都渋谷区神宮前6-12-17
https://www.diamond.co.jp/
電話／03･5778･7233（編集）　03･5778･7240（販売）

ブックデザイン—山之口正和＋齋藤友貴（OKIKATA）
本文DTP——エヴリ・シンク
本文イラスト—冨田マリー
校正————岩佐陸生・鷗来堂
製作進行——ダイヤモンド・グラフィック社
印刷・製本—勇進印刷
編集担当——酒巻良江・榛村光哲（m-shimmura@diamond.co.jp）

ISBN 978-4-478-11885-6